Neste livro você encontra setenta ideias de preparações para a introdução alimentar do bebê — e que também vão ajudar a melhorar a alimentação de todos da casa. Vai ser uma introdução à comida de verdade para a família inteira — calma, ninguém vai ter que comer papinha! Para que o bebê possa conhecer os sabores isoladamente, vamos trocar a papa que mistura todos os alimentos por uma instituição brasileira, o prato feito — o famoso pê-efe. Ou melhor, um pê-efinho! Arroz e feijão, legumes ou verduras e carnes vão compor as refeições. Papinha vai ser apenas uma referência à consistência da comida.

Antes mesmo de começar o livro, você já viu 64 exemplos de combinações perfeitas, balanceadas e saborosas. Na primeira linha de fotos, os alimentos estão bem amassadinhos, que é como os bebês de seis meses devem comer. Na linha seguinte, a textura vai ficando mais pedaçuda, até chegar à consistência original das preparações, igual à dos adultos, que é como as crianças a partir de um ano podem se alimentar. Tudo no tempo delas.

Para a produção de fotos pê-efinhos aí de trás, usamos pratinhos que não quebram, de ágata, inox ou melamina. Tivemos esse cuidado por aqui, porque levamos muito a sério a introdução alimentar do seu bebê. E mais: conhecemos em detalhes todos os obstáculos que afastam as pessoas da cozinha. Por isso vamos apresentar muitas soluções para introduzir na casa uma alimentação saudável de verdade, para sempre. Quem diria que o seu bebê seria responsável por uma revolução nutricional? Mais saúde e mais sabor para todos.

JÁ PRA COZINHA

Comida de bebê

uma introdução à
COMIDA DE VERDADE

RITA LOBO

São Paulo, 2017

 Panelinha

*Com consultoria nutricional do Núcleo de Pesquisas Epidemiológicas em Nutrição e Saúde,
da Faculdade de Saúde Pública da Universidade de São Paulo*

**DADOS INTERNACIONAIS DE CATALOGAÇÃO NA PUBLICAÇÃO (CIP)
(JEANE PASSOS DE SOUZA - CRB 8ª/6189)**

Lobo, Rita
Comida de bebê: uma introdução à comida de verdade / Rita Lobo. -- São Paulo : Editora Senac São Paulo; Editora Panelinha, 2017. (Coleção Já pra cozinha)

ISBN 978-85-396-1329-8 (impresso/2017)
e-ISBN 978-85-396-1449-3 (ePub/2017)
e-ISBN 978-85-396-1450-9 (PDF/2017)

1. Bebês e crianças: Alimentação **2**. Bebês e crianças: Nutrição **3**. Alimentação infantil **4**. Culinária infantil (receitas e preparo) I. Título. II. Coleção

CDD – 613.0432
641.300832
641.56222
17-616s   BISAC CKB101000
MED060000

ÍNDICES PARA CATÁLOGO SISTEMÁTICO

Bebês e crianças: Alimentação: Nutrição 613.0432
Alimentação infantil 641.300832
Culinária infantil (receitas e preparo) 641.56222

Este livro pertence a ....
Nascido em ....
Data do meu primeiro pê-efinho ....

Aos meus bebês,
que já são adolescentes,
Dora e Gabriel

Sumário

6	APRESENTAÇÃO

12 CONTEÚDO TEÓRICO
Tudo o que você precisa saber

16	CLASSIFICAÇÃO DOS ALIMENTOS POR GRAU DE PROCESSAMENTO
18	ALIMENTAÇÃO SAUDÁVEL DE VERDADE
20	DIVISÃO DE TAREFAS É URGENTE!
21	ALIMENTAÇÃO BALANCEADA
23	CONHEÇA OS GRUPOS ALIMENTARES E SAIBA COMO COMPOR O PRATO
24	FAMÍLIAS VEGETARIANAS
24	ALERGIAS E INTOLERÂNCIAS
25	ALIMENTOS POLÊMICOS
26	BLW E BLISS
27	HORA DE COLOCAR A MÃO NA MASSA!
27	TEXTURA DE BANANA AMASSADA
28	CUIDADO COM O SAL
29	TEMPERE!
29	ESTES TEMPEROS VALEM
30	MEDIDAS-PADRÃO
30	E A ÁGUA?
31	TEM QUE CAPRICHAR NA LIMPEZA!
31	ALIMENTOS ORGÂNICOS
32	VIVA O CONGELADOR!
32	E A VALIDADE?
33	MICRO-ONDAS
34	ROTINA ALIMENTAR EM CADA FASE
35	TÁ NA MESA!
36	ROTINA, ROTINA
36	LEITE
37	AOS 6 MESES
38	AOS 7 MESES
38	AOS 9 MESES
38	AOS 12 MESES
39	QUANDO SAIR PARA DAR UMA VOLTINHA...

40 FRUTAS
Vale tudo, menos o caroço

45	SUCO: MELHOR NÃO
46	BANANA
54	ABACATE
58	MAÇÃ
64	PERA

68   LEGUMES E VERDURAS
Capriche na variação!

- 71   GUIA RÁPIDO DE PRÉ-PREPARO DE LEGUMES E VERDURAS
- 72   PARA COZINHAR EM ÁGUA
- 74   ASSAR É UM BARATO!
- 76   REFOGAR É RAPIDINHO
- 78   CONGELE JÁ! E USE EM ATÉ TRÊS MESES

80   FEIJÕES
Vamos botar feijão na água!

- 83   FEIJÃO COM ARROZ: A DUPLA PERFEITA
- 84   PASSO A PASSO: COMO COZINHAR FEIJÃO
- 88   PLANEJAMENTO: CONGELAR FEIJÃO É UMA MÃO NA RODA
- 90   PARA CONSULTAR: TABELA DE COZIMENTO DOS FEIJÕES

98   CEREAIS E TUBÉRCULOS
Quanta energia!

- 102   ARROZ
- 104   PARA CONSULTAR: TABELA DE COZIMENTO DOS ARROZES
- 106   BATATA, BATATA-DOCE E MANDIOQUINHA
- 110   INHAME E CARÁ
- 112   MANDIOCA
- 114   MILHO
- 118   TRIGO
- 121   SEM MEDO DE PÃO NEM DE MACARRÃO

124   CARNES E OVOS
Muito além da carne moída

- 126   POUCO SAL, MAS MUITO SABOR
- 128   CARNE BOVINA
- 136   PORCO
- 140   FRANGO
- 144   PEIXE
- 150   OVOS

- 156   SÓ MAIS UMA COISA
- 157   ÍNDICES
- 166   SOBRE A AUTORA E O PANELINHA
- 167   CONSULTORIA NUTRICIONAL

APRESENTAÇÃO

Este livro é recheado de informações para que a introdução alimentar do bebê à alimentação da família seja feita com segurança e inclui muitas respostas às dúvidas mais comuns dessa fase. Mas, acima de tudo, foi escrito para pessoas que buscam o conhecimento necessário para ganhar autonomia, fazer as próprias escolhas e deixar a alimentação de todos da casa saudável de verdade. Já adianto: a introdução alimentar é um excelente momento para transformar a rotina da cozinha da casa e, com o método proposto aqui, você vai entender com clareza, de forma concreta, o que é uma alimentação balanceada.

Eu também passei pelas dúvidas, angústias e alegrias da introdução alimentar. Sou mãe de dois filhos, uma menina e um menino, ambos adolescentes hoje. Quando o Gabriel nasceu, eu já tinha feito um curso de gastronomia, já dirigia o site Panelinha e, na minha casa, havia jantar na mesa todos os dias. Mesmo assim, quando chegou a hora de cozinhar para o meu bebê, fiquei cheia de dúvidas — como, aliás, costumam ficar os pais que estão aprendendo tudo pela primeira vez. Com a fase da introdução alimentar se aproximando, senti o peso da responsabilidade. E, para piorar, tinha sempre alguém para dizer que o frango precisava ser cozido sem nenhum tempero, que só podia dar o caldinho do feijão, que o suco tinha de ser de laranja-lima, que um chazinho ia ajudar na digestão. E, claro, mais um monte de gente para dizer exatamente o contrário. Isso aconteceu faz um tempão, o Gabriel já tem quinze anos, mas imagino que você esteja ouvindo os mesmos pitacos.

O amor é tanto — e as opiniões de todos ao redor também são tantas — que fica praticamente impossível não surgirem dúvidas. E quer saber? Que ótimo momento para revisar os próprios conceitos em relação à alimentação saudável.

A introdução alimentar é um assunto sério e complexo, que envolve a segurança do seu bebê. Mas as soluções são mais simples do que o nosso medo de errar faz parecer

Com a Dora, minha segunda filha, foi tudo mais fácil. Claro que a minha experiência como mãe serviu para pensar este livro, mas ele é resultado de um trabalho muito profundo: a parceria do Panelinha com o NUPENS (Núcleo de Pesquisas Epidemiológicas em Nutrição e Saúde) da Universidade de São Paulo (USP). A consultoria nutricional foi feita por profissionais especializadíssimos, coordenados pelo professor Carlos Monteiro, que, além de titular da Faculdade de Saúde Pública da USP, foi responsável pela elaboração técnica do revolucionário *Guia Alimentar para a População Brasileira*, documento oficial publicado pelo Ministério da Saúde. Isso quer dizer que as orientações a seguir não refletem apenas a minha opinião e a minha vivência, ou a teoria de um nutricionista ou de um médico, mas são a conclusão de um grupo de pesquisadores especializados que há anos se dedicam ao assunto. Você vai conhecê-los na página 167.

Quem cozinha se alimenta melhor

Aprender a cozinhar é transformador. É libertador. Você não depende de ninguém para preparar o jantar, claro, e também ganha ferramentas para fazer melhores escolhas. Hoje, é praticamente impossível manter uma alimentação saudável sem saber cozinhar. A não ser, óbvio, que você tenha uma cozinheira treinada ou orçamento para comer nos melhores restaurantes todos os dias. Mesmo assim, para a introdução alimentar do seu filho, talvez você queira chegar mais perto da cozinha. E, sempre que enxergo uma brecha para trazer as pessoas para a beira do fogão, aproveito! Esse, aliás, é exatamente o motivo pelo qual quis produzir este livro.

Comecei a escrever sobre comida em uma coluna de jornal, há mais de vinte anos; depois, no ano 2000, nasceu o site Panelinha. Na sequência, comecei a lançar meus livros, vídeos e programas de televisão. Posso dizer com orgulho que, em mais de duas décadas, ensinei milhares de pessoas a cozinhar e, como consequência, ajudei a deixar mais saudável a alimentação de muitas casas. Mas, olha que curioso, foi só aos vinte anos de idade que aprendi a lidar com forno e fogão. Percebi que essa habilidade faria falta na vida adulta e resolvi me inscrever num curso de gastronomia em Nova York. O que eu não poderia imaginar naquela época é que entrar na cozinha mudaria a minha vida para sempre.

A introdução alimentar de um bebê pode ser o incentivo que faltava para melhorar a alimentação de uma família inteira. Não faz sentido cozinhar o arroz, o feijão, o frango e a abobrinha para o bebê e servir uma lasanha congelada e um copo de refrigerante para o restante da casa. É uma ótima oportunidade para todo mundo passar a comer melhor. Com alguns ajustes e truques, dá para cozinhar de uma vez só para todos. E, com planejamento, não é preciso preparar os pratos do zero. Essa é a hora de priorizar o assunto alimentação, investir um pouco de tempo e descobrir que preparar a própria comida pode ser, além de muito mais saudável e econômico, um processo prazeroso para todos os envolvidos. Com este livro, você vai revisar o seu entendimento sobre alimentação saudável e ainda vai deixar a mesa do dia a dia mais saborosa.

Hora de preparar o pê-efinho

A introdução alimentar é um período de transição, cheio de mudanças para o bebê que se alimentava exclusivamente de leite. Mas ele pode começar já comendo a mesma comida da casa, com adaptações de tempero e textura. O objetivo é que, aos doze meses, ele coma o mesmo que os adultos. É por isso que vamos aproveitar a combinação equilibrada e nutritiva do nosso padrão tradicional de alimentação, construído ao longo de séculos no Brasil, e usar uma estrutura de pê-efe, com direito a arroz, feijão, carne e legumes ou verduras para compor as refeições do bebê.

Para que o bebê possa sentir o sabor dos alimentos isoladamente, não vamos fazer aquela mistura que costumamos chamar de papinha. Papinha, ou papa, vai ser uma referência à consistência da comida. O feijão é amassadinho, os legumes, picadinhos... É principalmente isso o que diferencia o prato de bebê do prato do adulto — e também o uso reduzido do sal.

Antes de colocar a mão na massa, logo no primeiro capítulo você vai conhecer a classificação dos alimentos por grau de processamento, a mesma adotada pelo *Guia Alimentar para a População Brasileira*. Com ela, fica mais fácil fazer escolhas melhores e não cair nas pegadinhas da indústria e nos modismos.

Conhecendo a classificação dos alimentos, é só decidir: comprar ou não comprar, ter ou não ter na geladeira. É o caso dos refrigerantes ou sucos artificiais, que não devem fazer parte da alimentação dos bebês (e não só da deles!), mas que, de acordo com a Pesquisa Nacional em Saúde, feita pelo Ministério da Saúde em parceria com o IBGE (Instituto Brasileiro de Geografia e Estatística), são fartamente consumidos nessa faixa etária.

Quase um terço das crianças (32,3%) com menos de dois anos toma essas bebidas regularmente. E é muito, mas muito difícil competir com o marketing das grandes indústrias alimentícias. Mas é desde cedo que construímos os hábitos alimentares. Por isso a introdução é importante para o bebê e para a família. Que oportunidade fantástica de rever os próprios hábitos, os hábitos da casa.

> DE ACORDO COM UM RELATÓRIO DIVULGADO EM 2014 PELA ORGANIZAÇÃO DAS NAÇÕES UNIDAS PARA ALIMENTAÇÃO E AGRICULTURA (FAO, DO INGLÊS FOOD AND AGRICULTURE ORGANIZATION) E PELA ORGANIZAÇÃO PAN-AMERICANA DA SAÚDE (OPAS), MAIS DA METADE DOS BRASILEIROS ESTÃO COM SOBREPESO. ESTIMA-SE QUE 7,3% DAS CRIANÇAS MENORES DE CINCO ANOS ESTÃO OBESAS E, ENTRE OS ADULTOS, O ÍNDICE SOBE PARA 20% DA POPULAÇÃO. O NÚMERO DE ADULTOS COM SOBREPESO É AINDA MAIS IMPRESSIONANTE: 54,1% DA POPULAÇÃO.

Além da classificação por grau de processamento, é preciso também conhecer os grupos dos alimentos que vão compor o pê-e-finho do seu bebê — incluindo um alimento de cada grupo, você garante uma alimentação completa e equilibrada. É bem simples.

Depois disso, vamos entender a rotina da alimentação complementar em todas as fases, desde o primeiro dia até o bebê completar um ano. É um barato ver esse processo! E a gente aprende muito com eles. Quer um exemplo? A habilidade de autorregulação. Os bebês não são como a gente, que come porque está feliz e come porque está triste. Eles só comem quando estão com fome! É com o passar dos anos que essa habilidade vai, digamos assim, se perdendo. Mas eles fazem a gente refletir sobre o assunto — e sobre tantas outras coisas importantes da vida.

São muitos assuntos concentrados no capítulo inicial, porque é nele que estão todos os conceitos da introdução alimentar — e também de alimentação saudável de verdade, baseada em comida, não em escolha de alimentos por nutrientes. Isso, aliás, lembra mais uma dieta restritiva, que não tem nada a ver com alimentação saudável. Mas somos bombardeados diariamente com tanta informação que muita gente acaba confundindo as coisas. Acredite, o problema da alimentação moderna não é o glúten, mas os produtos ultraprocessados.

Nos capítulos seguintes, vamos nos dedicar às estratégias para garantir comida fresca na mesa todos os dias, à variação dos sabores, ao planejamento das refeições e ao preparo dos alimentos. Os grupos alimentares — e, portanto, os capítulos — são divididos da seguinte forma: frutas, legumes e verduras, feijões, cereais (e tubérculos), carnes (e ovos). São mais de setenta ideias de preparações e muitas técnicas culinárias que vão dar a segurança da qual você precisa para se divertir mais na cozinha e garantir uma alimentação saudável de verdade. Seja você o pai ou a mãe, para a introdução alimentar dar certo é importante saber que os adultos da casa têm que estar comprometidos.

Não vou fingir que cozinhar é só prazer — um casal entre panelas trocando beijinhos, um bebê quietinho, esperando a hora do papá. Quem dera! É uma empreitada. Mas, com planejamento, informação e algumas técnicas, o trabalho é pequeno se comparado aos benefícios — que vão muito além dos nutricionais. O segredo é compartilhar as responsabilidades. Planejar, comprar, armazenar, cozinhar, limpar, guardar... É muita coisa para uma pessoa só. Sem a divisão estruturada de tarefas, fica difícil.

> *Cozinha é assunto da casa, e não da dona de casa. E a alimentação do bebê é assunto da família, e não só da mãe ou só do pai*

A introdução alimentar vai ser um momento muito especial. E tem que ser feita lenta e gradativamente. É normal que o bebê rejeite um ou outro alimento, ou que até o organismo estranhe um pouquinho. Não se apavore nem deixe de oferecer novamente. De todo modo, temos um livro inteiro pela frente para esclarecer as dúvidas — e sugerir estratégias para que a família toda pegue carona nessa alimentação saudável, colorida, variada e saborosa. E não é que o seu bebê vai ensinar a casa toda a cozinhar?

CONTEÚDO TEÓRICO

Tudo o que você precisa saber

A INTRODUÇÃO ALIMENTAR É UM PERÍODO DE TRANSIÇÃO, CHEIO DE NOVIDADES PARA O BEBÊ QUE SE ALIMENTAVA SÓ DE LEITE. MAS ELE VAI COMER A MESMA COMIDA DA FAMÍLIA, COM AJUSTES NECESSÁRIOS PARA QUEM ESTÁ FORMANDO O PALADAR E AINDA NÃO TEM TODOS OS DENTINHOS.

Comida de bebê é papinha, certo? Mais ou menos. A ideia de um monte de alimentos misturados numa tigelinha — que foi como a maioria das pessoas da minha geração começou a comer — não é considerada a estratégia mais adequada para a introdução alimentar do bebê. Primeiro, porque a papinha impede a apresentação isolada dos alimentos — nesse período em que o paladar está sendo formado, o ideal é que a criança possa sentir o sabor dos alimentos, um por um. O outro ponto é de caráter prático: não faz sentido preparar dois cardápios diariamente, um para o bebê e outro para os adultos.

A solução está justamente numa instituição da cozinha brasileira: o pê-efe. Ou melhor, um **pê-efinho**! Exatamente como o *prato feito* que os adultos vão comer, a versão míni vai ser composta de arroz, feijão, uma carne e pelo menos um legume ou verdura, só que tudo amassado — ou picadinho. Ou seja, o que continua valendo da época das papinhas é a textura.

Outro ponto positivo dessa fórmula é que nela estão incluídos quatro dos cinco grupos de alimentos necessários para compor a refeição do bebê. Um cereal (ou tubérculo), um feijão (ou outra leguminosa), uma carne (ou ovo) e pelo menos um legume ou verdura. A fruta vai ser a sobremesa — e também os lanchinhos.

A ideia do pê-efe funciona tanto para o bebê como para a rotina da casa, porque resolve o problema do cardápio semanal. Não precisa ficar quebrando a cabeça todo santo dia. Com arroz e feijão, metade do prato está resolvida; a variação fica por conta dos legumes e das verduras, e das carnes. Quem quiser pode até alternar os feijões e os cereais, como você vai ver a seguir. Para quem ainda não tem o ritmo da cozinha do dia a dia, talvez seja vantajoso cozinhar o feijão uma vez por semana (aproveite que dá!), dividir em porções e congelar. Até no planejamento o nosso padrão alimentar é espertíssimo! Se você ainda não sabe, vai aprender tudo no capítulo dos feijões.

Em termos nutricionais, essa composição não poderia ser melhor. Ela foi sendo testada e ajustada pela população no decorrer de centenas de anos, até chegar ao que hoje chamamos de **padrão alimentar tradicional brasileiro**. Como é toda baseada nos alimentos locais, ela garante o uso dos ingredientes mais frescos e mais acessíveis. E quanto mais variado for o prato, aproveitando ao máximo os produtos da feira, melhor. Cada alimento tem uma composição nutricional única, por isso, ao ampliar o leque de ingredientes usados na semana, você oferece mais nutrientes para o bebê — e para a família.

É por isso tudo que a introdução alimentar é também uma oportunidade de ouro para estabelecer no dia a dia da casa uma alimentação saudável, baseada em comida de verdade. Antes de entrar na cozinha, porém, é preciso aprender a diferenciar comida de imitação de comida — que é como costumo chamar os alimentos ultraprocessados. Esse entendimento vai proporcionar melhores escolhas.

CLASSIFICAÇÃO DOS ALIMENTOS
POR GRAU DE PROCESSAMENTO

Em 2014, o Guia Alimentar para a População Brasileira, documento oficial do Ministério da Saúde, adotou a classificação dos alimentos de acordo com o grau de processamento. Desde então, o Guia tem sido fonte de inspiração para vários países, principalmente porque o consumo de ultraprocessados está diretamente relacionado ao aumento da obesidade das populações.

	O QUE SÃO
ALIMENTOS *IN NATURA* OU MINIMAMENTE PROCESSADOS devem ser a base da nossa alimentação.	Alimentos vendidos como foram obtidos, diretamente de plantas ou de animais, ou que passaram por pequenas intervenções, mas que não receberam nenhum outro ingrediente durante o processo (nada de sal, açúcar, óleos, gorduras ou aditivos). Incluem-se no grupo grãos secos, polidos e empacotados ou moídos na forma de farinhas; raízes e tubérculos lavados; cortes de carne resfriados ou congelados e leite pasteurizado.
INGREDIENTES CULINÁRIOS usados para cozinhar.	São aqueles usados na cozinha para preparar os alimentos *in natura* ou minimamente processados. Não são consumidos isoladamente, mas entram nas receitas para temperar, refogar, fritar e cozinhar.
ALIMENTOS PROCESSADOS podem fazer parte de refeições baseadas em alimentos *in natura* e minimamente processados.	São os alimentos que passaram por processos semelhantes às técnicas culinárias, que receberam adição de sal, açúcar, óleo ou vinagre e que foram cozidos, secos, fermentados ou preservados por métodos como salga, salmoura, cura e defumação, ou acondicionamento em latas ou vidros.
ALIMENTOS ULTRAPROCESSADOS evite ao máximo.	São formulações feitas nas fábricas a partir de diversas etapas de processamento e que combinam muitos ingredientes, inclusive compostos industriais, como proteína de leite, extrato de carnes, gordura vegetal hidrogenada, xarope de frutose, espessantes, emulsificantes, corantes, aromatizantes, realçadores de sabor e vários outros aditivos, como substâncias sintetizadas em laboratório a partir de carvão e petróleo. Costumam conter muito açúcar, sal e gordura. Devido a essa formulação, são viciantes, por isso tendem a ser consumidos em excesso — e a excluir a comida de verdade.

A classificação dos alimentos por grau de processamento é a chave para entender o que é uma alimentação saudável de verdade

EXEMPLOS

Frutas, legumes e verduras (mesmo os congelados, desde que sem nenhum tipo de aditivo), raízes, ovos, carnes de boi, de porco, de aves e de peixes, leite, iogurte natural sem açúcar nem adoçante (nem outros aditivos químicos), arroz, feijão e outras leguminosas (como lentilha e grão-de-bico), ervas frescas e secas, especiarias, farinhas (de milho, de trigo, de mandioca), frutas secas, cogumelos e castanhas.

Sal, açúcar, óleos (de soja, de milho, de girassol etc.), azeite, banha de porco, gordura de coco, manteiga e vinagre.

Pães feitos com farinha, levedura, água e sal (aqueles vendidos a granel em padarias e supermercados), massas frescas ou secas, queijos, carnes-secas, bacalhau, conservas (vidros de palmito e beterraba, por exemplo), ervilha e milho em lata, atum e sardinha em lata, extratos e concentrados de tomate e frutas em calda ou cristalizadas.

Pratos prontos congelados que vão direto para o forno ou para o micro-ondas (lasanha, pizza etc.), carnes temperadas e empanadas, macarrão instantâneo, molho de tomate pronto, refrigerantes, sucos adoçados (inclusive em pó), mistura para bolo, achocolatado, sopa em pó, caldo industrializado (em cubo, em pó ou no potinho), molho pronto para salada, biscoito recheado, sorvetes, balas e guloseimas em geral, salgadinhos de pacote, barrinha de cereal industrializada, cereais matinais açucarados, bebidas lácteas e iogurtes adoçados e aromatizados, salsichas e pães de fôrma.

ALIMENTAÇÃO SAUDÁVEL
DE VERDADE

A partir da classificação dos alimentos por grau de processamento, fica fácil entender o conceito de alimentação saudável de verdade: ela é baseada em **alimentos *in natura* ou minimamente processados**, preparados com **ingredientes culinários**; os **alimentos processados** podem completar as refeições (queijo, pão, macarrão etc.), e os **ultraprocessados** ficam de fora do prato, do cardápio, da geladeira, da despensa, da lista de compras. Outro ponto relevante, de acordo com o *Guia*, é seguir um padrão tradicional de alimentação — no nosso caso, o brasileiro.

Para muita gente, o primeiro contato com a classificação dá tilt na cabeça, eu sei. Nas últimas décadas, a indústria alimentícia vem ditando os conceitos de alimentação saudável, investindo pesadamente em marketing e lucrando com os modismos. Mesmo sem perceber, uma gigantesca parte da população foi perdendo autonomia e acabou caindo em muitas pegadinhas. Há uma indústria que insiste que cozinhar não é necessário, que basta aquecer ou misturar água quente. Na melhor das hipóteses, podemos dizer que se afastar da cozinha foi um experimento humano que não deu certo: viver de comida pronta levou populações a altos índices de obesidade. Na pior, dá para pensar que algumas indústrias só estão preocupadas com a própria saúde financeira, em detrimento da saúde de seus consumidores.

Aí vem a pergunta: *e como faz para saber se um produto é ultraprocessado?* A resposta é fácil: lendo a lista de ingredientes do rótulo. Você vai se surpreender — no mau sentido. Se entre os ingredientes há itens com nomes que não são de comida, é ultraprocessado. Geralmente são listas grandes, e, além dos aditivos químicos, os produtos costumam ter açúcar, sal e gordura em excesso.

Quando as pessoas começam a ler os ingredientes do rótulo, vem a parte mais complicada, que é "virar a chave". A reação comum é ficar caçando um produto "menos pior". Ou usando a lógica da substituição. *Como posso substituir a salsicha para deixar o cachorro-quente mais saudável?* Não dá. É preciso mudar o raciocínio, a lógica da comida pronta, do "não precisa cozinhar", do "feijão engorda", do "glúten faz mal", da "barrinha para o lanche", do "refrigerante para matar a sede". Não adianta estar escrito *orgânico* ou *integral* ou *caseiro* na embalagem: o produto ultraprocessado não é uma opção saudável.

Outro pensamento comum é o do "tudo pode", sem limites, sem regras, desde que seja comida de verdade. Não é bem assim! No caso dos adultos, não é porque um bolo caseiro (feito a partir de ovos, farinha, leite e manteiga) faz parte de uma alimentação saudável que dá para comer o bolo inteiro ou trocar o jantar por três fatias. Isso não corresponde ao nosso padrão tradicional de alimentação. Mas a rotina do bebê vai ajudar você a entender como funciona esse padrão. Mais do que isso, vai transformar um conceito abstrato, o da "dieta balanceada", numa prática concreta.

Quem já tem uma relação com a cozinha costuma ficar aliviado com a classificação dos alimentos por grau de processamento. Ela explica cientificamente algo que já intuíamos com a prática: não existem alimentos bons ou ruins. Mais do que isso, não precisamos nos preocupar com a composição nutricional dos alimentos para fazer escolhas saudáveis. Não é o glúten que faz mal, e sim basear a alimentação em pão, macarrão e pizza, excluindo legumes, verduras e outros alimentos de verdade da mesa.

DIVISÃO DE TAREFAS
É URGENTE!

Para manter uma alimentação saudável, você já deve ter concluído: cozinhar é essencial. No entanto, alimentação é um assunto da casa, não da dona de casa. Isso é muito importante: sem divisão de tarefas na família, não funciona. Se uma pessoa sozinha, geralmente a mãe, tiver que pensar nos cardápios, comprar os ingredientes, preparar as refeições, lavar a louça (e ainda trabalhar e cuidar dos filhos, na maioria das vezes), fica mais difícil dar certo, porque a comida passa a ser mais um dos problemas que ela tem para resolver todos os dias. É aí que a indústria encontra uma enorme oportunidade para oferecer refeições congeladas, molhos prontos, sopas em pó e, claro, potinhos de comida para bebê. Para isso não acontecer, a alimentação precisa ser um assunto da família toda.

Dividindo o trabalho, até a comida fica mais gostosa, porque o planejamento leva em conta o gosto de todos, o que está mais fresquinho na feira, uma receita interessante que alguém encontrou num livro de culinária. O preparo pode ser a várias mãos e se torna um momento de estar junto, conversar, alimentar as relações. E logo mais seu bebezinho vai fazer parte disso tudo ativamente.

As transformações na vida de um bebê acontecem em alta velocidade. Um dia ele mal consegue segurar o pescoço, no outro está correndo pela casa. Com a alimentação, é igual. Ao mesmo tempo que conhecem sabores e texturas diferentes, os bebês estão aprendendo tudo o que está envolvido nesse processo. Aprendem a mastigar, mesmo que não tenham dentes — a gengiva já está suficientemente endurecida nessa fase — e também a levar a comida à boca, devagarzinho. Quando compartilham as refeições com a família, as crianças aprendem também o ritual de se sentar à mesa e interagir com os outros enquanto comem. Alimentação é mais do que a ingestão de nutrientes.

ALIMENTAÇÃO
BALANCEADA

Durante todo o período de introdução alimentar, até o seu filho completar um ano, ele precisa continuar mamando: o leite segue sendo o principal alimento — os sólidos não suprem nem metade das necessidades do bebê. Além disso, ele ainda não associa comida à saciedade — para ele, é o leite que vai matar a fome! Por isso, muitas vezes, vale até deixar que ele mame primeiro, para não estar tão irritado de fome na hora de comer. Com o tempo — e isso acontece rápido —, ele vai entendendo que a comida também mata a fome, e vai mamar cada vez menos e comer cada vez mais. Até lá, se ele mama no peito, pode continuar com livre demanda. Se ele toma fórmula, deve manter a mamadeira da manhã e a da noite, junto com a nova rotina, detalhada mais à frente, de acordo com a faixa etária.

É muito importante que, desde a primeira refeição, o pê-efinho do seu filho seja variado e inclua um alimento de cada um dos grupos alimentares. Resumidamente:

Cereais e tubérculos, como arroz, batata, mandioca, inhame e macarrão.
Feijões, de todos os tipos, e também outras **leguminosas**, como lentilha e grão-de-bico.
Carnes (todas: bovina, de frango, de porco e peixe) e **ovos**.
Legumes e verduras, de A a Z: abóbora, beterraba, cenoura, espinafre... Só não pode ainda servir verduras cruas! (O risco de engasgo é alto para o bebê.)
Mais um grupo: **frutas**, que não entram no pê-efinho, mas viram sobremesa e lanchinhos.

Durante os seis meses da fase de introdução alimentar, ter todos os grupos no prato vai ajudar o seu filho a criar um hábito saudável e, mais do que isso, a calibrar o conceito de **alimentação balanceada** para a casa. (Lembrando que o leite materno continua sendo a principal fonte de nutrientes durante toda a fase de introdução alimentar do bebê.) Todos esses grupos estão detalhados nos próximos capítulos do livro, acompanhados de um monte de ideias de preparo. O mundo ideal é que os **cinco grupos** estejam presentes no prato do bebê em todas as refeições.

O leite materno continua sendo a principal fonte de nutrientes durante toda a introdução alimentar do bebê

Na hora de montar o pratinho da criança, foco no brasileiríssimo **pê-efe**. O melhor é colocar um pouquinho de cada coisa, sem misturar, para que o bebê consiga identificar os sabores, as cores e as texturas. Isso também vai ajudar você a ver como ele reage a cada alimento e até a identificar mais facilmente caso apresente alguma alergia.

CONHEÇA OS GRUPOS ALIMENTARES
E SAIBA COMO COMPOR O PRATO

GRUPOS	IMPORTÂNCIA	EXEMPLOS
Verduras e legumes	São alimentos ricos em vitaminas, minerais e fibras. Como existem muitas fontes de vitaminas diferentes, o melhor é variar bastante os itens desse grupo.	Cenoura, abobrinha, abóbora, brócolis, chuchu, couve, couve-flor, espinafre, pimentão, rabanete.
Feijões	São alimentos que fornecem proteínas, ferro, carboidratos e fibras.	Feijão (de todos os tipos), ervilha, lentilha, grão-de-bico.
Cereais e tubérculos	Ricos em carboidratos, esses alimentos fornecem energia e proteína. Devem compor a maior parte do prato dos bebês.	Arroz, milho, macarrão, batata, mandioca, inhame, cará, aveia.
Carnes e ovos	As carnes (incluindo miúdos como fígado) têm muito ferro e zinco, essenciais para o crescimento, e vitamina B12, responsável pelo desenvolvimento neurológico. E são ótimas para prevenir anemia.	Frango, boi, peixe, porco, ovos.
Frutas	Assim como as verduras e os legumes, são fonte de vitaminas, minerais e fibras.	Banana, maçã, laranja, mamão, abacaxi, abacate, pera. Mas vale tudo: kiwi, melancia, caqui.

20% Feijões

40% Cereais e tubérculos

30% Verduras e legumes

10% Carnes e ovos

CONTEÚDO TEÓRICO

Famílias vegetarianas

Quem cortou a carne completamente da dieta deve consultar um nutricionista na hora de montar os cardápios e o prato do bebê para garantir que ele receba os nutrientes de que precisa. Quanto mais restritiva a dieta (caso dos veganos, por exemplo, que não consomem carnes, laticínios nem ovos), maior a preocupação com nutrientes que não podem faltar na alimentação da criança.

Alergias e intolerâncias

O normal — e de longe o mais comum — é que os bebês não apresentem nenhum tipo de alergia e possam navegar com tranquilidade pelo mar de novos alimentos. Mas, assim como acontece com os adultos, há reações variadas a diferentes alimentos. Alguns provocam gases, outros mudam a cor e a textura das fezes. É preciso estar atento para poder identificar as causas. E não custa lembrar que, nesta fase, a relação com o pediatra ainda é bastante próxima, e ele deve ser consultado em caso de dúvida.

Se o seu filho apresentar reações na pele, como placas vermelhas espalhadas pelo corpo, inchaço dos lábios e dos olhos, vômitos e fezes muito amolecidas, procure seu médico, porque esses podem ser sintomas de reações alérgicas aos alimentos.

Bebês com histórico de alergia alimentar na família, especialmente se já tiverem apresentado sintomas de dermatite, rinite alérgica ou asma, precisam de orientação específica do pediatra. Nessa situação, é necessário tomar algumas precauções na hora de introduzir os alimentos mais associados com as alergias (ovo, soja, trigo, crustáceos, peixes e castanhas).

Alimentos polêmicos

MEL: deve ser evitado no primeiro ano da criança pelo risco de contaminação por uma bactéria chamada *Clostridium botulinum*.

OVO: clara e gema estão liberadas a partir dos seis meses, mas não cruas.

LEITE DE VACA E IOGURTE: as crianças que mamam no peito ou tomam fórmulas específicas não precisam deles para o aporte de cálcio e proteínas. Até completarem um ano, elas não têm os sistemas renal e digestivo completamente desenvolvidos e podem sofrer com a sobrecarga provocada por esses alimentos. A única exceção é a manteiga, que está liberada no uso culinário, desde que em pequenas quantidades.

FRUTOS DO MAR: estão liberados a partir dos seis meses. Há alguns anos, acreditava-se que as crianças estariam mais seguras em relação ao risco de reações alérgicas se fossem apresentadas aos frutos do mar mais tarde. Mas pesquisas recentes mostram que não há esse benefício. O importante é seguir o ritmo da casa: quem costuma comer frutos do mar pode oferecer ao bebê.

CARNES CRUAS E MALPASSADAS: devem ser evitadas pelo risco de contaminação e de diarreia (causada pela imaturidade imunológica dos bebês).

NOZES E CASTANHAS: por serem alimentos com alto potencial alergênico, a recomendação é não oferecer nozes e castanhas antes de o bebê completar 1 ano — depois, o ideal é oferecer as castanhas (amendoim, castanha-de-caju...) trituradas para a criança não engasgar.

BLW e BLISS

Quem está se aventurando pelo tema da introdução alimentar já deve ter deparado com estas duas siglas: BLW e BLISS.

O BLW (Baby-Led Weaning, que significa "desmame guiado pelo bebê") é um método criado por uma britânica que defende a oferta de alimentos em pedaços, tiras ou bastões. A ideia é que o bebê pegue a própria comida, sem talheres, e leve diretamente à boca. Com esse sistema, o bebê ganha autonomia, descobre a textura de cada alimento e come o suficiente para ficar satisfeito.

O BLISS (Baby-Led Introduction to SolidS, ou "introdução aos sólidos guiada pelo bebê") é uma variação do BLW criada por um grupo de neozelandeses. Parte do mesmo princípio, mas propõe oferecer os alimentos cortados em pedaços grandes para evitar engasgos e cuidar para que a oferta ao bebê inclua alimentos calóricos e ricos em ferro.

Para a Sociedade Brasileira de Pediatria, ainda não há evidências científicas suficientes para considerar que esses métodos sejam superiores ao modelo tradicional de introdução alimentar (com o pê-efinho comido com a colher). Portanto, como tudo nessa fase, vale o que funcionar melhor na rotina da sua casa e da sua família.

HORA DE COLOCAR
A MÃO NA MASSA!

A partir dos seis meses, seu bebê já pode comer a mesma refeição da família, desde que tenha sido preparada com pouco sal, sem temperos picantes e sem leite e derivados, como queijos e creme de leite. A manteiga é a exceção: pode ser usada como ingrediente culinário, ou seja, em pequenas quantidades, apenas para completar o preparo dos outros alimentos (pense num refogadinho, por exemplo).

A grande diferença, nesse comecinho, é mesmo a textura. Mas, à medida que vão amadurecendo, as crianças adquirem as habilidades para mastigar comidas mais pedaçudas (a partir dos nove meses), até chegarem à mesma consistência que vai estar no prato da família toda (perto do aniversário de um ano).

Textura de banana amassada

Na primeira fase da introdução alimentar, a comida deve ser macia, mas sem virar um líquido (uma sopa ou um suco). Um bom exemplo da textura ideal é a banana amassada com o garfo — ela fica bem molinha, mas não perde as características originais do alimento. A ideia é chegar a uma consistência parecida com essa em todas as combinações de pê-efinho. É por isso que não é aconselhável passar os alimentos pela peneira, processador ou liquidificador. Uma consistência líquida desestimula a mastigação e pode até atrapalhar o desenvolvimento dos músculos faciais. Os alimentos devem ser cozidos até que possam ser amassados com o garfo e virem uma espécie de purê rústico, mas homogêneo, sem pedaços grandes. As carnes precisam ser desfiadas ou picadinhas.

CUIDADO COM O SAL

O sódio, que é um dos principais componentes do sal, é importante para a saúde porque **regula a pressão arterial**. Mas os brasileiros consomem muito mais sal do que deveriam, e esse excesso está relacionado ao aumento da hipertensão arterial e ao risco de acidente vascular cerebral e do desenvolvimento de doenças renais. A Organização Mundial da Saúde recomenda uma ingestão máxima de **2 gramas de sódio por dia**. Por aqui, os dados mais recentes mostram que chegamos a alarmantes 4,7 gramas por dia.

Vale lembrar que quem consome produtos ultraprocessados muitas vezes está ingerindo sal sem saber, mesmo em alimentos doces. Nas barrinhas de cereal mais populares, por exemplo, você vai encontrar sal entre os ingredientes listados no rótulo.

No caso dos bebês, a quantidade de sódio necessária é tão pequena que eles podem obter tudo o que precisam dos alimentos *in natura*. O Ministério da Saúde indica o uso do sal com moderação. Já a Sociedade Brasileira de Pediatria recomenda que não seja usado. Mas, do ponto de vista culinário, o uso correto do sal não tem a função apenas de salgar a comida.

O sal serve também para misturar os sabores dos alimentos da preparação — é por isso que comida sem sal é sem graça! E não adianta salgar a comida direto no prato. As quantidades serão maiores e sem o mesmo efeito.

Neste livro, optamos por indicar em todas as receitas a quantidade de sal que você pode usar para temperar a comida, considerando o que vale para o bebê. Vai ser uma oportunidade para cuidar da saúde de todo mundo, recalibrando o uso do sal para a família toda. Um ponto importante: para ajudar a diminuir as dúvidas, neste livro o sal vai ser indicado em medidas-padrão; em alguns casos, a quantidade necessária é tão pequena que virou **"pitada"** — um pouquinho de sal que você consegue beliscar com a ponta do indicador e do dedão. Separe o total de sal que vai ser usado na receita e vá temperando a cada etapa. Uma pitada quando refogar a cebola, mais um pouquinho nos cubos de carne e mais um tantinho no caldo do cozimento, por exemplo.

TEMPERE!

Se a recomendação é bem restritiva em relação ao sal, o cenário é muito diferente quando o assunto são as ervas, as especiarias e os legumes aromáticos, como cebola e alho, geralmente refogados em azeite. Esses temperos criam novas camadas de sabor com as diferentes combinações e ajudam a apresentar aos bebês um conceito fundamental: **comida boa é variada e saborosa**. Vale lembrar que as ervas frescas são a melhor opção, porque têm sabor mais suave do que as secas. Mas nada de picância nessa primeira fase! Pode guardar as pimentas, a páprica picante e o curry.

Estes temperos valem

ERVAS FRESCAS: salsinha, cebolinha e coentro picadinhos podem finalizar os pratos; já tomilho, alecrim e sálvia devem ser usados no preparo, porque ficam melhores quando passam por algum método de cozimento.

ESPECIARIAS: páprica doce (cuidado para não usar a versão picante!), cominho, canela (inclusive em preparações salgadas), cúrcuma e noz-moscada são ótimos de ter na despensa para usar no dia a dia.

LEGUMES AROMÁTICOS: cebola e alho são os primeiros que vêm à cabeça na hora de fazer o refogado do arroz, do feijão e dos ensopados, mas vale também refogar salsão, cenoura e alho-poró em azeite para criar mais uma camada de sabor.

Medidas-padrão

Em todas as receitas testadas com o método Panelinha usamos medidores-padrão. O jogo de xícaras deve ter pelo menos as seguintes medidas fracionadas: 1/4, 1/3, 1/2, e pode ter ainda 2/3. Em vez de um jogo, você pode optar pela jarrinha que marca até 2 xícaras. Ela é ideal para medir líquidos, porém menos adequada para sólidos. Os alimentos são sempre medidos nivelados, nada de colher cheia ou rasa.

XÍCARA (CHÁ) **240 ML**   COLHER (SOPA) **15 ML**   COLHER (CHÁ) **5 ML**

E a água?

O leite materno contém absolutamente tudo de que o bebê necessita até o sexto mês de vida, inclusive água. A oferta de chás, sucos e mesmo água é desnecessária e ainda pode fazer com que ele mame menos leite materno. Esses outros líquidos podem também ser um meio de contaminação e aumentar o risco de doenças. Pior ainda se forem oferecidos em chuquinhas ou mamadeiras: elas fazem com que o bebê engula mais ar (aerofagia), e isso pode propiciar um desconforto abdominal pela formação de gases. O uso de mamadeira também aumenta o risco de infecções e diarreia. E pode ainda comprometer a sucção do bebê, dificultando a pega correta da mama.

Com a introdução dos alimentos complementares, porém, é importante que a criança tome água nos intervalos das refeições. A água deve ser a mais limpa possível (tratada, filtrada e fervida) e ser oferecida em xícaras ou copos.

TEM QUE CAPRICHAR NA LIMPEZA!

Enquanto mamam no peito, as crianças estão bastante protegidas dos micro-organismos que podem causar problemas à saúde. Mas, quando começam a comer, a exposição aumenta e cresce o risco de infecções (que podem ser muito graves em bebês pequenos).

Não tem mistério: valem todas as regras de higiene usadas na hora de preparar qualquer comida. Tem que começar lavando bem as mãos e os utensílios e caprichar na limpeza dos alimentos.

Frutas, verduras e legumes devem ser lavados em água corrente, com uma escovinha de uso exclusivo. Mais para a frente, quando completar um ano, o bebê passa a comer verduras cruas. Nesse caso, é preciso deixar de molho por 15 minutos em água com hipoclorito de sódio (20 gotas para cada litro de água). Depois, retire os alimentos da água (para que as impurezas fiquem no fundo do recipiente) e enxágue novamente. Esse procedimento também vale para a salada da casa.

Alimentos orgânicos

Se for possível, dê preferência aos alimentos orgânicos. São mais saborosos e estão livres da contaminação por agrotóxicos, um problema enorme no Brasil. Caso contrário, o truque é escolher sempre os alimentos que estão na safra, porque, em tese, eles precisam de menos agrotóxicos para serem produzidos.

Viva o congelador!

Todo mundo prefere comida fresca, feita na hora. Isso não significa que seja preciso começar do zero em todas as refeições. O feijão congelado cozido sem tempero, e refogado na hora de servir, por exemplo, fica fresquinho da silva. Mas, na fase da introdução alimentar, todo cuidado é pouco! Para reduzir os riscos de contaminação, o segredo é cozinhar, separar em porções e congelar logo na sequência — nada de guardar dias na geladeira e servir para o bebê. Também dá para deixar vários legumes prontinhos, já pré-cozidos e porcionados. O mesmo vale para carnes. Nos primeiros meses da introdução alimentar, isso pode ser uma mão na roda. O segredo é se planejar e deixar descongelando na geladeira, sempre no dia anterior. Assim, você nem precisa usar o micro-ondas para descongelar, apenas para aquecer.

E a validade?

Siga estas orientações de armazenamento e conservação — além de evitar a contaminação da papinha ou da comida da família, você diminui o desperdício.

- Uma preparação cozida dura até três dias na geladeira e três meses no congelador.
- Após o preparo, o alimento pode ficar em temperatura ambiente por até 1 hora, se os termômetros marcarem menos de 32 °C (o que não acontece em diversas partes do país).
- Por segurança, logo após o preparo, separe os alimentos em porções e leve ao congelador ou à geladeira os que só vão ser consumidos depois.
- O descongelamento não deve ser feito em temperatura ambiente: quanto maiores o tempo e as oscilações de temperatura, maior será o prejuízo causado ao alimento congelado. Transfira para a geladeira na véspera ou leve imediatamente à panela.
- A porção que sobrou no prato do almoço do bebê não deve ser oferecida no jantar. Descarte.

Micro-ondas

O micro-ondas pode ser usado, mas exige alguns cuidados específicos. Quase todo mundo sabe que recipientes metálicos não devem ser colocados no micro-ondas, porque eles refletem as ondas que ficam rebatendo dentro do forno. O mesmo vale para frisos ou alças de metal. Use utensílios de vidro e cerâmica, mas escolha os que não têm decoração (porque a tinta pode ter metais em sua composição). Se for usar plástico, procure os fabricados especialmente para uso em forno de micro-ondas. Os comuns podem liberar compostos químicos que acabam indo parar nos alimentos.

O que pouca gente sabe é que também é preciso prestar atenção na temperatura. Alimento superaquecido não faz bem para a saúde, mas não é fácil perceber quando isso acontece no micro-ondas. No fogão e no forno convencional, vemos claramente que o alimento queimou: ele fica tostado. No micro-ondas é diferente, porque as tais micro-ondas atuam dentro dos alimentos, em nível atômico e molecular. A comida pode estar queimada, mas você nem vai perceber. Ela vai sofrer os efeitos da oxidação das gorduras, da queima de proteínas e da perda de nutrientes. Evite isso seguindo as instruções de uso e não exagerando no tempo lá dentro do forno.

Para as crianças, cuidado redobrado com a temperatura para não queimar a boquinha. O truque é aquecer aos pouquinhos, parar e mexer. Assim, você esquenta apenas o necessário e garante o aquecimento uniforme.

ROTINA ALIMENTAR
EM CADA FASE

Cada criança é uma, você sabe, mas a maioria dos bebês diminui o chamado "reflexo do vômito" entre os quatro e os seis meses. Nessa época, eles também já conseguem sentar (o que torna possível a alimentação com colher) e produzem enzimas digestivas em quantidade suficiente para começar a desbravar os alimentos.

É bom você saber logo de cara que as crianças pequenas comem apenas o suficiente para se sentirem saciadas. São diferentes dos adultos, que tendem a comer mesmo sem fome quando têm comida ao alcance da mão, por exemplo. Ou que comem quando estão estressados, tristes ou muito felizes.

Preste atenção durante a refeição e respeite a fome do seu filho: ele mostra quando está satisfeito. O bebê não precisa "raspar o prato"! Foi você que fez o prato dele, e a quantidade servida não necessariamente corresponde à fome do pequeno. Apesar de não falarem, eles já se comunicam. Então, quando não querem mais comer, os bebês deixam bem claro: uns viram o rosto ou empurram a colher, outros choram, alguns cospem a comida e tem até os que vomitam. Já pensou que tortura alguém forçando uma colher de comida na sua boca?

TÁ NA MESA!

De todas as orientações deste livro, talvez esta seja a mais complicada nos dias de hoje: hora de comer não é hora de ficar no celular, no tablet ou vendo televisão. Por quê? Essas distrações estimulam o consumo em excesso. Os bebês ainda se beneficiam da autorregulação — eles tendem a comer apenas o que precisam. Já nós, os adultos, não podemos nos distrair, porque a tendência é comer até acabar! O problema é que, mesmo dotados da autorregulação, quando são distraídos os bebês também acabam comendo mais do que precisam — isso, inclusive, é usado como estratégia para que os bebês comam mais (claro que a intenção é boa, mas o resultado é prejudicial).

Distrair o bebê atrapalha a autorregulação e também a introdução alimentar em si: a ideia é apresentar os alimentos isoladamente, em um pê-efinho, para que ele conheça cada alimento e associe a seu sabor. Mas, se ele não está prestando atenção na comida, de nada adianta.

Mais uma vez, vamos aprender com os bebês a dedicar o tempo e a concentração certos para as refeições. Lugares confortáveis e tranquilos ajudam a comer mais devagar e, com isso, a não comer em excesso. Dica para os adultos: a gente come mais do que precisa quando a oferta é grande; faça um bom prato, mas evite as repetições. E coma frutas como sobremesa! Elas completam a refeição.

ROTINA, ROTINA
(ALMOÇO E JANTAR = PÊ-EFINHO + FRUTA)

QUANDO	O QUÊ	COMO	QUANTO
Aos 6 meses	Fruta pela manhã Almoço Fruta à tarde	A comida pode ser bem amassadinha.	Você pode montar um pê-efinho com um pouco dos alimentos de cada grupo. Vá oferecendo alternadamente. Se o bebê comer apenas o equivalente a 2 colheres (sopa), não estranhe. A quantidade tende a aumentar (e, calma, há muitas refeições pela frente). Dica: se acabou, pode ser que tenha faltado. Melhor sobrar um pouco.
Aos 7 meses	Fruta pela manhã Almoço Fruta à tarde Jantar	A comida pode ter a textura de um purê rústico, pedaçudo.	Nessa fase, é bem possível que ele já esteja comendo o equivalente a 2/3 de xícara (chá) por refeição. Monte o pê-efinho tentando seguir os percentuais sugeridos na tabela de grupos alimentares na página 23.
Aos 9 meses	Fruta pela manhã Almoço Fruta à tarde Jantar	A comida pode ser servida em pedaços inteiros, mas bem macios.	É provável que ele esteja comendo o equivalente a 3/4 de xícara (chá) por refeição. Mas cada bebê é um bebê.
Aos 12 meses	Fruta pela manhã Almoço Fruta à tarde Jantar	A comida pode ser oferecida em pedaços inteiros, com textura próxima à da família.	Nessa fase, seu bebê já deve estar comendo o equivalente a 1 xícara (chá) por refeição, e a comida dele é praticamente a mesma da família. O único cuidado é evitar alimentos muito duros ou pedaços grandes demais.

LEITE

Durante toda a introdução da alimentação complementar, o leite continua sendo o principal alimento. O ideal é seguir amamentando com livre demanda; caso contrário, a partir do sexto mês, o substituto de leite materno (fórmula) fica restrito a duas mamadas por dia, uma pela manhã e a outra, à noite.

AOS 6 MESES

Não dá para saber exatamente como vai ser o "dia 1" do seu bebê com a comida. Alguns bebês vão realmente se divertir com a primeira banana amassada. Mas outros não vão comer nada. Na-da! Nem meia colher. E está tudo certo. É muita novidade para a criança. Os sabores, os cheiros, as texturas. E também o ritual, os objetos, como prato e colher, e até uma relação diferente com o próprio corpo, que precisa mastigar, engolir e matar a fome.

Um aparente desinteresse da criança, porém, pode ser outra coisa: ela pode estar com sono (nesse caso, precisa antes tirar uma soneca); pode estar com frio ou com calor; com a fralda suja... Isso tudo deve ser verificado antes da refeição. O bebê precisa estar confortável para poder dar a atenção ideal aos alimentos — um ambiente calmo também ajuda! Pode parecer contraditório, mas até muita fome pode atrapalhar a alimentação (ele não associa saciedade aos sólidos, acha que só o leite vai matar a fome). Nesse começo, vale até oferecer leite do peito logo antes das refeições. Já a fórmula deve ter horários específicos, e longe das refeições, para não comprometer a absorção de nutrientes.

Quem vai alimentar a criança nessas primeiras refeições precisa estar munido de muita paciência e tranquilidade — e não confundir a saciedade do bebê com a própria satisfação em ver o bebê comer.

Pense que o bebezinho passou seis meses comendo sempre que tinha fome, sem horário. Do dia para a noite, tem que almoçar ao meio-dia, lanchar uma fruta às três da tarde... O organismo dele não entende ainda! No início, não há problemas em oferecer o alimento fora do horário específico. Com o passar dos dias e das semanas, ele vai se adaptando, e aí, sim, a rotina vai se fixando.

É comum que o processo pareça ir para frente e para trás a cada tentativa. A criança que gostou da banana pode rejeitar o feijão do almoço. Tem que tentar de novo em outra refeição. De acordo com estudos clínicos publicados em 2014 pela American Academy of Pediatrics, as crianças precisam ser expostas, em média, de oito a dez vezes a um novo alimento para aceitá-lo. Só que muita gente desiste antes disso, considerando que o bebê tem uma aversão específica a determinados alimentos. Ele precisa, na verdade, é de tempo para se adaptar. Mas se a criança não gostar mesmo de um determinado alimento, tudo bem. Afinal, nós que somos adultos também não gostamos de tudo.

AOS 7 MESES

Já faz um mês que seu filho está experimentando alimentos novos todos os dias. É hora de incluir uma nova refeição: o jantar. A ideia é seguir a mesma proposta do almoço, caprichando na variedade. Não custa lembrar que a monotonia está diretamente ligada à falta de interesse das crianças pela comida. Por isso, sirva uma fruta pela manhã e outra diferente à tarde. Uma voltinha pela feira ou pelo sacolão é uma ótima oportunidade para descobrir o que está na época e o que está mais saboroso.

O mesmo vale para o almoço e o jantar: o arroz e o feijão são a base, mas varie bastante os legumes, as verduras e as carnes. Até mesmo o arroz e o feijão podem ser alternados com outros alimentos do mesmo grupo.

Tudo deve continuar sendo servido bem amassadinho. Na média, o bebê já deve estar comendo 2/3 de xícara (chá), ou mais, por refeição — de novo, cada bebê é um.

AOS 9 MESES

Nessa fase, os alimentos já não precisam ser tão amassados e desfiados. Cortar em pedaços bem pequenos ou dar uma apertadinha de leve com o garfo deve ser suficiente para o bebê conseguir comer.

E vamos aumentando a quantidade! Em média, as crianças comem o equivalente a 3/4 de xícara (chá) em cada refeição.

AOS 12 MESES

Agora seu filho deve estar comendo o equivalente a 1 xícara (chá) de comida com uma textura bem semelhante à dos adultos.

Ainda é preciso cortar as carnes bem pequenininhas, mas o arroz e o feijão, por exemplo, já nem precisam ser amassados.

Tem criança que já gosta de comer a banana segurando-a com as próprias mãozinhas. O melhor dos mundos é conseguir encaixar a rotina para que o bebê sente à mesa com a família para compartilhar todas as refeições.

Quando sair para dar uma voltinha...

Assim que o bebê começa a comer, aumenta a lista de coisas que você precisa carregar quando resolve sair para um passeio: além da fralda, da troca de roupa e daquele casaquinho esperto, agora tem que levar água e comida também.

O cuidado deve ser redobrado para evitar qualquer tipo de contaminação, pois as bactérias presentes nos alimentos se multiplicam muito rapidamente em temperatura ambiente, e o risco para o bebê é enorme.

Tem que preparar a marmitinha da criança como se fosse a de um adulto e transportar em bolsas térmicas (com gelo comum ou gelo em gel reutilizável). Desse jeito, a comida fica segura por até seis horas, dependendo da temperatura externa e do tipo de bolsa.

Na hora de servir, os alimentos refrigerados devem ser reaquecidos (pode ser no micro-ondas mesmo, mas cuidado com o superaquecimento).

E as frutas também vão para o passeio, sem problemas. Tem que colocá-las na bolsa térmica e tomar cuidado com o sol — nada de deixar a bolsa fritando no piquenique, por exemplo, porque as frutas não vão resistir.

Uma dica importante: qualquer fruta é mais gostosa e mais saudável se for servida bem fresquinha. Então, prefira levá-las inteiras. Banana é um clássico: vem numa embalagem natural bem prática e você pode até entregar inteira para o bebê. Uma maçã pequena ou um avocado também funcionam, porque são fáceis de carregar.

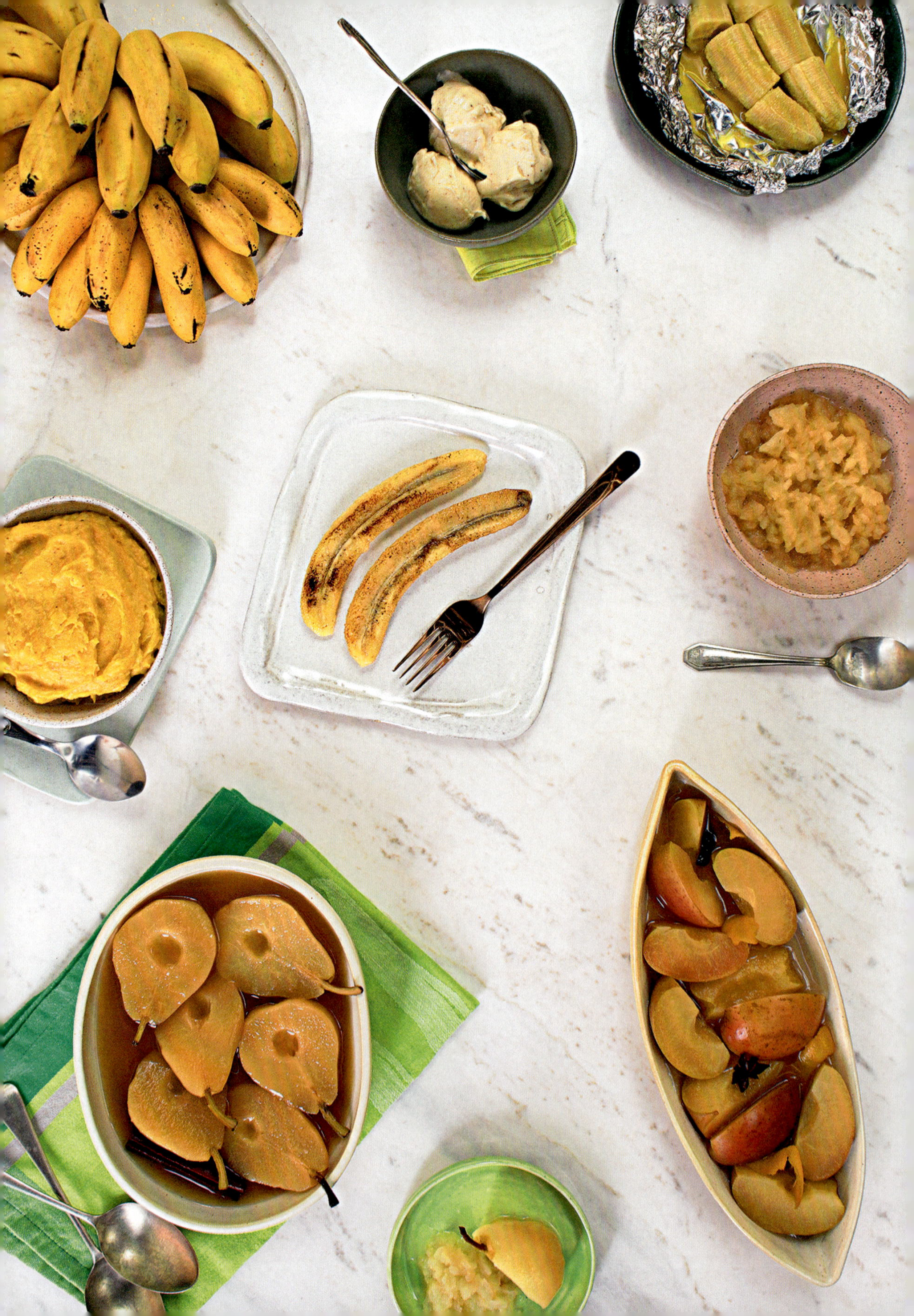

FRUTAS

Vale tudo, menos o caroço

GRAÇAS AO SEU BEBÊ, VOCÊ ESTÁ PRESTES A DESCOBRIR TODO O POTENCIAL DAS FRUTAS. DE QUEBRA, VAI MELHORAR A ALIMENTAÇÃO DA CASA INTEIRA. PODE ENCHER A FRUTEIRA, PORQUE, NESTE CAPÍTULO, MAIS DO QUE INDICAÇÕES DE DIFERENTES TIPOS PARA VARIAR O CARDÁPIO, VOCÊ VAI ENCONTRAR SUGESTÕES DE MODO DE PREPARO — QUEM DISSE QUE FRUTA PRECISA SER SEMPRE CRUA? TODOS VÃO SE BENEFICIAR DA VERSATILIDADE CULINÁRIA DELAS.

São grandes as chances de que uma fruta seja o primeiro alimento que seu filho vá comer na vida. Não é lindo isso? Se esse dia ainda não chegou, não precisa se preocupar nem ficar torcendo para que ele goste. Ele vai adorar! O problemas são os pais… O ideal é comer frutas em todas as refeições, mas, com o tempo, as pessoas vão perdendo esse hábito.

Agora que o bebê vai começar a comer, todos na casa vão ter uma grande oportunidade de rever a relação com as frutas. Se você ainda não tem uma fruteira, providencie. E, se já tem, vai se acostumar a vê-la sempre cheia. O abacaxi e a melancia vão descascados e fatiados direto para a geladeira. Pronto, assim não tem desculpa nem preguiça que colem: é fruta todo dia, no lanche e na sobremesa.

Voltando ao primeiro alimento que seu filho vai comer, que é o que mais interessa no momento, a banana é uma forte candidata. Os pais é que vão decidir, mas, além de prática, a banana amassada com garfo é até modelo para ilustrar a consistência e a textura ideais da papa para a introdução alimentar, como você leu no primeiro capítulo. Isto é, macia mas ainda com pedacinhos que mantêm as características originais da fruta. Depois de uns meses, lá pelo nono, nem amassar precisa. Por volta de um ano, a criança segura a banana sozinha e devora a fruta, sem prato, nem garfo, nem nada. É um barato acompanhar tudo isso.

Até lá, porém, muita fruta vai ter viajado nos aviõezinhos… Maçã ou pera raspadas, mamão amassado, melão picado. Essas são escolhas clássicas. Rapidinho vocês vão querer mais. E quanto maior a variação, melhor. Inclua manga, goiaba, abacate, pêssego, ameixa, melancia, carambola, mexerica, abacaxi.

Ofereça as frutas da sua região e, principalmente, as que estiverem na época

Não existem frutas melhores ou piores para o bebê. Todas as frutas são boas. Um dos segredos é aproveitar a sazonalidade: as frutas estão no auge do sabor, o preço tende a cair e as não orgânicas costumam ter menos agrotóxicos. Se estiver na época do caqui, compre caqui! Mas isso não significa dar caqui em todas as refeições. Ou maçã. Ou pera. O raciocínio vale para todas as frutas. Não adianta apostar só no mamão e depois ficar reclamando que a fruta solta o intestino do bebê. Também por isso a variação é fundamental.

É fato que algumas frutas são mais práticas que outras, do ponto de vista da introdução alimentar. De novo, é o caso da banana. Além da embalagem naturalmente perfeita (fácil de transportar, é só descascar) e da consistência e da textura ideais, ela tem um tamanho ótimo. É diferente do abacate, por exemplo. Seu bebê vai comer um tantinho, e o restante vai precisar ser transformado em outra preparação para a família — abacate não aguenta muito tempo depois de cortado. Pois é exatamente isso o que vamos fazer aqui. As sobras do abacate podem virar guacamole para o jantar da família.

Com essa lógica, dá para garantir a porção de abacate para o bebê, incluir a fruta na refeição da casa e evitar o desperdício.

Cada fruta tem uma composição nutricional única: com a variação, você garante todos os nutrientes

Neste capítulo, a partir das quatro frutas mais versáteis na cozinha, você vai ver como aproveitar ao máximo esses alimentos. Mas todas as frutas podem e devem fazer parte da introdução alimentar. Lembre-se da regra: quanto maior a variação, melhor a alimentação. Vale tudo, menos o caroço.

SUCO: MELHOR NÃO

Os hábitos alimentares começam a ser formados já aos seis meses. A partir daí, você deve ensinar a matar a sede com água pura, que é, sempre foi e sempre será a melhor alternativa. O consumo de sucos estimula a busca pelo sabor doce de forma frequente, estimula também o comer excessivo e, até, a beber menos água.

Historicamente, as bebidas adoçadas são recentes na nossa alimentação: os seres humanos não têm mecanismos eficientes para detectar as calorias em bebidas. Por isso, uma criança consegue comer apenas uma laranja no lanche, mas é capaz de tomar o suco de três laranjas espremidas.

Isso acontece porque sucos de frutas e hortaliças são líquidos com açúcares livres (frutose, glucose e sacarose), que saciam menos do que a mesma quantidade de calorias consumida na forma original dos alimentos.

Nos sucos naturais, esses açúcares ficam tão concentrados que, do ponto de vista metabólico, podem ser equivalentes às bebidas açucaradas industrializadas. Nas frutas *in natura*, a presença das fibras retarda a absorção desses açúcares e, mais do que isso, regula o consumo excessivo.

Quando consumidas em excesso, mesmo em sucos naturais, com todas as vitaminas que possam ter, as frutas levam ao aumento da ingestão total de açúcares indicados numa alimentação balanceada e aumentam o risco de ganho de peso. Entre as crianças, os açúcares livres são também a causa dietética mais importante da cárie dentária.

No caso dos sucos industrializados, o problema é ainda mais grave: além da concentração do açúcar natural da fruta, a maioria tem também (muito) açúcar adicionado. Os dois primeiros anos da criança são considerados uma janela de oportunidade para a construção do paladar, que, no caso das frutas, não deve ser maquiado pelo açúcar.

Dica importante: uma queixa frequente na nutrição pediátrica é a de que a criança não come; vale lembrar que os sucos tiram o apetite e competem com alimentos com maior valor nutricional.

Banana

Crua, depois de descascada e amassada com garfo, a banana fica com a consistência e a textura da papa, ideais para a introdução alimentar. Já em pedaços, ou inteira, é perfeita para a etapa em que precisamos estimular as primeiras mordidas e a mastigação. A papa de banana amassada com garfo deve ser feita na hora de servir, pois a fruta escurece rapidamente. Nada de amassar e deixar o potinho na geladeira. Já as bananas que passam por algum método de cozimento (você vai ver a seguir) podem ser preparadas com um pouco de antecedência. Mas vale saber que só as bananas cozidas e assadas com a casca, e armazenadas dentro da casca, não sofrem alteração: a casca protege a fruta, impedindo o escurecimento, além de manter a umidade da banana.

❶ **BANANA-MAÇÃ:** tem sabor mais ácido, com perfume que lembra... maçã.

❷ **BANANA-DA-TERRA:** não se come crua, mas é excelente para cozinhar — o purê fica incrível (tem receita a seguir). A casca escura mostra que está pronta para ser usada. Pode ser cozida em água, assada ou grelhada. É a variedade menos doce e com a consistência mais firme e seca. Boa opção para preparações salgadas.

❸ **BANANA-NANICA:** é úmida, adocicada e tem a consistência perfeita para amassar e comer. Mas também pode ser cozida com a casca, assada ou mesmo grelhada.

❹ **BANANA-PRATA:** a polpa é um pouco mais firme e menos doce que a nanica. A maior qualidade dela é a durabilidade (boa dica de planejamento na hora de pensar nas compras).

❺ **BANANA-OURO:** o sabor é bem docinho, e o tamanho, perfeito para uma papa doce — e para o lanchinho de todos. Inclua na lista de compras!

FRUTAS 47

Métodos de cozimento

COZIDA: dê preferência à nanica ou à prata, que ficam com sabor adocicado pronunciado e bem macias. Para não correr o risco de a banana desmanchar e virar uma sopa, mantenha a casca.

Lave bem em água corrente com uma escovinha de legumes, coloque numa panela, cubra com água e leve ao fogo médio. Quando começar a ferver, conte 2 minutos para a nanica e 4 para a prata (no geral, elas cozinham mais rapidamente quando maduras). Retire com uma pinça. Deixe amornar, corte no comprimento e sirva às colheradas para o bebê.

Para a família: ótima ideia para variar o café da manhã.

ASSADA: ideal para a banana-da-terra, mas também vale para a nanica que não estiver muito madura. A polpa fica bem macia, quase cremosa, com sabor meio caramelado — uma delícia! Preaqueça o forno a 180 °C (temperatura média). Numa assadeira, leve as bananas com a casca para assar por 15 minutos.

Para a família: você não vai ligar o forno só para assar uma fruta, vai? Aproveite para preparar um bolinho de banana para a família toda. Conserve a fruta assada na casca em geladeira por até dois dias. Tem receita na página 52.

GRELHADA: a banana-nanica ganha um sabor levemente tostado, adocicado. Corte ao meio, no sentido do comprimento, enquanto a frigideira antiaderente aquece em fogo médio. Unte a frigideira com um pedacinho de manteiga e coloque a banana com o lado cortado para baixo. É jogo rápido: 3 minutos e a fruta fica com aspecto dourado, mais adocicada e bem macia. Assim que amornar, está pronta para servir para o bebê. Considere apenas o que vai ser servido na hora, porque não vale a pena guardar banana grelhada na geladeira: perde sabor e escurece.

Para a família: com canela e mel, vira sobremesa a jato! Se quiser, sirva com creme batido, sorvete de creme ou iogurte natural.

A banana-da-terra, que é maior e mais firme, também funciona bem quando grelhada em fatias. Troque a manteiga pelo azeite, deixe dourar por 1 minuto de cada lado e sirva amassada na papa salgada do bebê.

Variar os tipos e métodos de cozimento amplia o repertório gustativo do bebê e dos pais

ASSADA EM PAPILLOTE: olha a sobremesa a jato aí, gente! Num pedaço de papel-alumínio (deixe a parte brilhante em contato com o alimento), coloque 2 bananas (nanica ou prata funcionam bem) descascadas e cortadas em 3 pedaços. Regue com ¼ de xícara (chá) de caldo de laranja ou água e adicione especiarias, como um pedaço de canela em rama, 2 bagas de cardamomo ou cravos-da-índia. Pode até juntar 1 colher (chá) de manteiga para deixar a caldinha mais espessa. Junte as pontas e feche o papel-alumínio para formar uma trouxinha, deixando espaço para o vapor circular. Leve ao forno preaquecido a 180 ºC (temperatura média) para assar por 15 minutos. Essa técnica deixa a fruta bem perfumada, úmida e macia.

Para o bebê, sirva os pedaços amassados. Para os crescidos, sirva a **banana assada em papillote** com a caldinha que se formou — ainda quente, saída do forno. Considere adicionar uma bola de sorvete de creme (afe, já pensou?). Experimente também assar a banana com outras frutas frescas (pera, pêssego ou maçã, por exemplo) e secas (ameixa e uva-passa ficam ótimas).

BANANA CONGELADA: Descasque, fatie e congele. Você vai ter um delicioso **sorvete natural de banana** depois de bater a fruta. Funciona assim: retire as fatias do congelador uns 10 minutos antes de servir a sobremesa. Elas precisam desse tempo em temperatura ambiente para quebrar o gelo — e não o seu processador! Bata no processador de alimentos até atingir a consistência de sorvete. Quando fizer esse sorvetinho, lembre-se do que vou dizer agora: tenha fé, continue batendo, vai dar certo! Um detalhe: a fruta tem que ter sido congelada madura. Aliás, se a banana-prata está passando do ponto, congelador nela!

RECEITA PARA O BEBÊ E PARA A FAMÍLIA

Purê de banana-da-terra

O adocicado das bananas ganha um sabor-surpresa: é o gengibre em ação! Facílimo de preparar, esse purê deixa a refeição divertida e colorida. Ah, e fica excelente com peixes.

SERVE **4 PORÇÕES** | PREPARO **20 MINUTOS**

6 BANANAS-DA-TERRA MADURAS
½ CEBOLA PEQUENA
1 COLHER (SOPA) DE AZEITE
1 COLHER (CHÁ) DE GENGIBRE RALADO (UM PEDAÇO DE CERCA DE 2 CM)
CALDO DE 1 LIMÃO
1 ½ COLHER (CHÁ) DE SAL

1. Descasque e corte as bananas em rodelas de cerca de 1 cm. Transfira para uma tigela média e regue com o caldo de limão. Descasque e pique fino a cebola.

2. Leve uma panela média ao fogo baixo. Quando aquecer, regue com o azeite, junte a cebola e refogue por 3 minutos, até murchar.

3. Acrescente as bananas e o gengibre, tempere com o sal e misture bem. Tampe e deixe cozinhar por cerca de 5 minutos, até as bananas ficarem bem macias — elas vão cozinhar no próprio vapor, nem precisa adicionar água.

4. Desligue o fogo e, com o mixer, bata os ingredientes na panela até formar um purê liso. Se preferir uma textura mais rústica, amasse com a espátula apenas para desmanchar as fatias. Sirva a seguir.

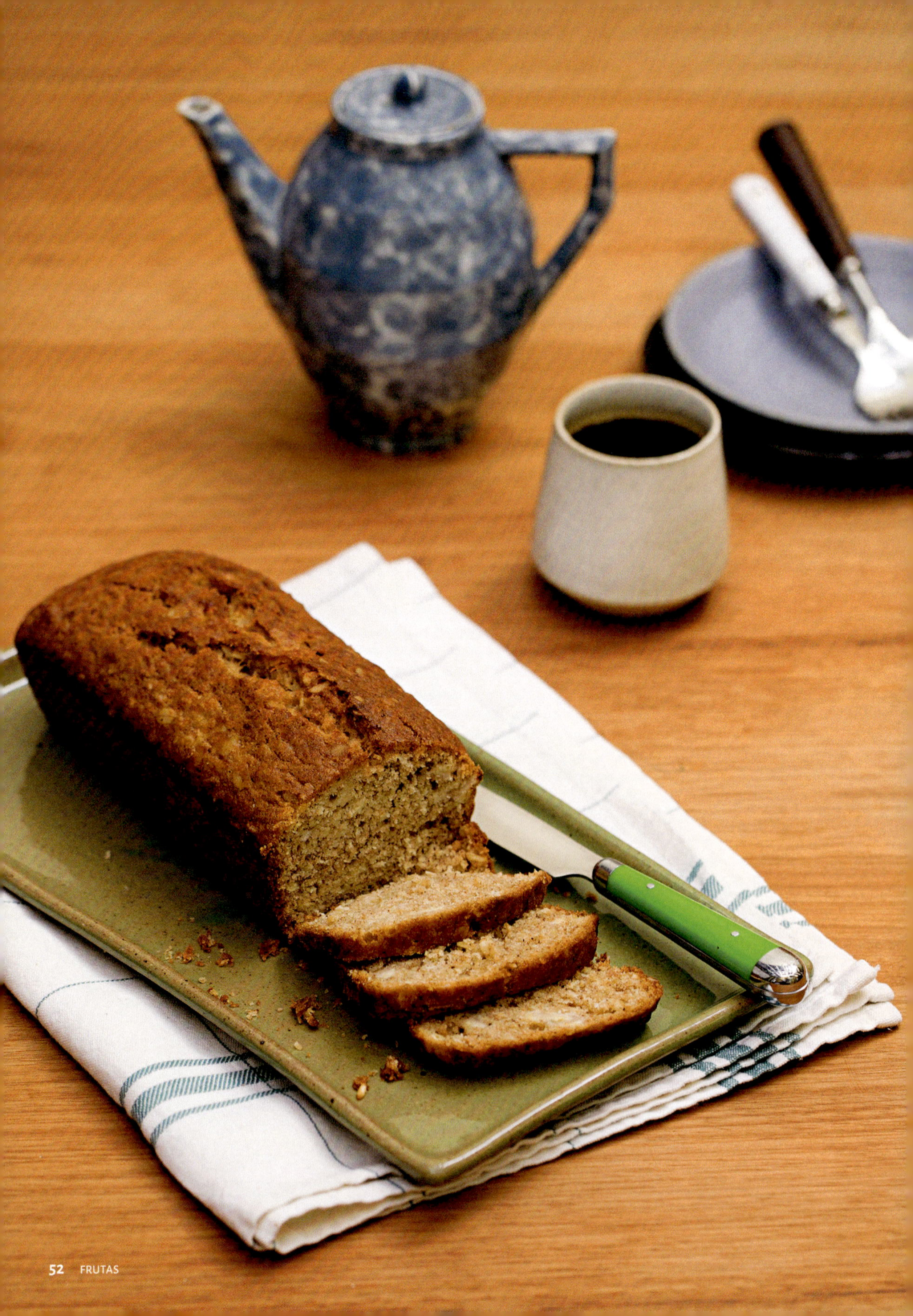

RECEITA-BÔNUS PARA A FAMÍLIA

Bolo de banana com aveia

Ficou com vontade de comer um bolinho no café da manhã? Esse nem precisa de batedeira — dá para preparar a tempo para a primeira refeição do dia. Não deixe de provar a fatia na torradeira. Mas atenção: essa é uma receita-bônus para a família! Bebês não devem comer açúcar na fase da introdução alimentar.

RENDE **10 FATIAS** | PREPARO **15 MIN + 40 MIN** NO FORNO

2 BANANAS-PRATA MADURAS
2 OVOS
½ XÍCARA (CHÁ) DE ÓLEO
½ XÍCARA (CHÁ) DE AÇÚCAR
½ XÍCARA (CHÁ) DE FARINHA DE TRIGO
½ XÍCARA (CHÁ) DE FARINHA DE TRIGO INTEGRAL
½ XÍCARA (CHÁ) DE AVEIA EM FLOCOS
1 COLHER (CHÁ) DE FERMENTO EM PÓ
1 COLHER (CHÁ) DE CANELA EM PÓ
½ COLHER (CHÁ) DE EXTRATO DE BAUNILHA (OPCIONAL)
MANTEIGA E FARINHA DE TRIGO PARA UNTAR E POLVILHAR A FÔRMA

1. Preaqueça o forno a 200 °C (temperatura média). Unte com manteiga e polvilhe com farinha de trigo uma fôrma de bolo inglês de 22 cm × 10 cm.

2. Descasque as bananas, coloque num prato e amasse bem com um garfo.

3. Numa tigela média, bata bem os ovos e o óleo com o garfo. Acrescente em etapas a banana amassada, o açúcar, as farinhas e a aveia, misturando a cada adição. Por último, misture o extrato de baunilha, a canela em pó e o fermento.

4. Transfira a massa para a fôrma e leve ao forno para assar por cerca de 40 minutos, ou até dourar. Para conferir se o bolo está assado, espete um palito na massa: se sair limpo, está pronto; caso contrário, deixe mais alguns minutos. Retire do forno e deixe o bolo esfriar antes de desenformar para servir.

Abacate

A gente costuma pensar em abacate como doce — talvez porque no Brasil o hábito seja servir na sobremesa, amassado com limão e açúcar. Mas ele é um ótimo ingrediente para receitas salgadas, até mesmo papas. A consistência é tão macia, tão cremosa, que basta amassar com o garfo. A única exigência é que deve estar bem maduro. Abacate verde não dá, não.

O jeito mais fácil de abrir é cortando ao meio, no sentido do comprimento, passando a faca ao redor do caroço. Aí você pode:

- Descartar o caroço e, com uma colher, retirar a polpa da casca. Faça desse jeito se for usar a metade inteira.
- Retirar a casca e cortar a polpa em cubos — assim fica mais fácil caso queira congelar a fruta.
- Cortar apenas uma ponta, na quantidade suficiente para o bebê, e guardar a outra parte na geladeira, ainda com casca, envolta em filme. Importante: espalhe caldo de limão na fruta para evitar o escurecimento.

Para servir ao bebê, basta amassar com um garfo. Se quiser preparar uma papa salgada, regue com gotinhas de caldo de limão — nesse caso, além de preservar a cor verde da fruta, forma uma deliciosa combinação de sabores.

FRUTAS

Avocado

É uma questão de gosto: eu adoro abacate e gosto mais ainda da versão menorzinha e mais cremosa da fruta — o avocado. Caso a família não seja muito chegada a abacate, talvez seja uma boa alternativa, apenas por ser menor. Evita o desperdício.

Abacate congelado

Se o bebê comeu duas colheradas de abacate no meio da tarde e você não vai usar a fruta inteira em alguma preparação na sequência, congele. Retire o caroço e a casca e corte a polpa em cubos de 2 cm. Leve ao congelador numa assadeira pequena. Eles vão congelar sem grudar um no outro, e aí é só transferir para um saco plástico e manter no congelador. Retire de lá 10 minutos antes de bater no processador, até atingir a consistência de sorvete. Acrescente caldo de limão na hora de bater (mais sabor!). Se for servir para a família, bata com a mesma quantidade de sorvete de baunilha.

Guacamole a jato

Boa ideia de petisco para aproveitar o abacate que sobrou: amasse com o garfo, regue com azeite, caldo de limão, uma pitada de sal, um tomate picadinho (sem sementes) e folhas de coentro picadas a gosto. Sirva com fatias de pão tostado.

Para a família: outras dicas para aproveitar o abacate:

- Em cubos, vai muito bem na salada de folhas verdes.
- Os cubos dão cremosidade à salada de frutas, já provou?
- Bata com a mesma proporção de sorvete de creme e sirva com uma colherada de licor de cacau: está pronto o *coupe camargo*, uma deliciosa sobremesa retrô.

FRUTAS 57

Maçã

A maneira mais fácil de deixar a maçã na consistência de papa é raspando. Corte a fruta ao meio, no sentido do comprimento. Nem precisa descascar — a casca é uma tigelinha natural. Descarte as sementes e raspe a polpa com uma colher de chá. Não adianta amassar a polpa com garfo; além de ser difícil, não fica com a consistência de papa.

Assim como a banana, a maçã escurece rapidamente depois de aberta e deve ser cortada/descascada/raspada apenas na hora de consumir. Para crianças com mais de nove meses, a maçã crua pode ser oferecida em pedaços com a casca desde que devidamente higienizada.

❶ **FUJI:** tem a polpa suculenta e crocante e sabor mais elaborado: doce, mas levemente ácido. A abundância de suco deixa a fruta na consistência ideal para a papa. Textura e sabor fazem da fuji a variedade ideal para cozinhar: rende ótimos bolos, *crumbles*, tortas e geleias.

❷ **GALA:** não se deixe levar pelas aparências, pois, apesar da casca vermelha vibrante, esse é o tipo menos versátil e saboroso. A polpa é quase porosa. Ideal para ser consumida crua, pois perde tanto a textura como o sabor depois de cozida.

❸ **MAÇÃ-VERDE:** a variedade mais ácida e azedinha das maçãs tem a polpa tão suculenta e crocante quanto a da fuji. Além de consumida crua, a maçã-verde fica ainda mais saborosa depois de passar por algum método de cozimento. Vai bem em receitas doces, mas brilha mesmo é nas salgadas, como purê e *chutney*, por causa da acidez.

FRUTAS 59

Métodos de cozimento

Depois de passar por algum método de cozimento, o sabor e a textura da maçã mudam completamente — é quase outra fruta. Quanto mais tempo a maçã é cozida (ou assada), mais macia e cremosa fica a polpa. Outra vantagem de cozinhar as maçãs é poder armazenar a papa doce pronta na geladeira para o dia seguinte, sem escurecer — lembre-se de que, na introdução alimentar, o bebê não come uma maçã inteira de uma só vez.

COZIDA: a polpa fica mais macia, menos ácida, absorvendo os sabores do cozimento.

A técnica é simples: depois de lavar bem com uma escovinha — nem precisa descascar, pois parte do sabor da maçã também está na casca —, corte 3 unidades em 4 gomos cada, descarte as sementes e transfira para uma panela com 1 litro de água e leve ao fogo alto. Junte a casca de 1 laranja, 2 anises-estrelados e, depois que ferver, deixe cozinhar em fogo baixo por cerca de 30 minutos. A partir daí, prepare a papa doce amassando com um garfo (descarte sementes e casca). Dá para armazenar uma parte na geladeira por até dois dias, sem que escureça, seja no caldo, seja amassada em papinha (leve imediatamente, ainda quente, para a geladeira depois de preparar).

Uma vez que você aprende a técnica, pode criar novas combinações de sabores com especiarias e ervas: vale canela, cravo, tomilho, erva-cidreira ou até acrescentar caldo de laranja ou limão no cozimento. A maçã no caldo perfumado garante a sobremesa de inverno da família. A sugestão é servir com uma calda quente de chocolate ou caramelo, que tal?

ASSADA: a maçã fica tão macia e cremosa que chega até a desmanchar — é purê com sabor concentrado de maçã!

Para o bebê, antes de assar, corte a maçã ao meio e descarte o miolo com as sementes. Regue com gotinhas de limão, tempere com uma pitada de canela em pó e disponha as metades na assadeira com a parte cortada para baixo – assim você mantém a umidade e a maçã assa sem ressecar (a casca também ajuda!). Leve ao forno preaquecido a 200 ºC (temperatura média) para assar por cerca de 30 minutos. Então, é só raspar a polpa com uma colher e deixar amornar. A vantagem desse método de cozimento é que você pode armazenar a papa amassada na geladeira (por até três dias) que ela não vai escurecer.

Para a família: vale aproveitar a assadeira e o forno preaquecido para preparar um *crumble* de maçã moderninho, que vira sobremesa perfumada.

RECEITA-BÔNUS PARA A FAMÍLIA

Maçã assada com crocante de nozes

Vamos aquecer o forno e aproveitar a viagem: enquanto assa uma sobremesa linda que só ela (e saborosa, com direito a contraste de texturas), você também garante a papinha de fruta do bebê. Ou vice-versa! Para preparar a papa de maçã do bebê, corte uma maçã ao meio, regue com gotinhas de limão, tempere com uma pitada de canela e disponha na mesma assadeira da sobremesa.

SERVE **4 PESSOAS** | PREPARO **1 HORA**

4 MAÇÃS FUJI
¼ DE XÍCARA (CHÁ) DE NOZES QUEBRADAS GROSSEIRAMENTE
¼ DE XÍCARA (CHÁ) DE AVEIA EM FLOCOS
¼ DE XÍCARA (CHÁ) DE FARINHA DE TRIGO INTEGRAL
3 COLHERES (SOPA) DE AÇÚCAR (DE PREFERÊNCIA O DEMERARA)
25 G DE MANTEIGA GELADA EM CUBOS
CALDO DE ½ LIMÃO
CANELA EM PÓ A GOSTO

1. Preaqueça o forno a 200 °C (temperatura média).

2. Lave, seque e corte as maçãs ao meio no sentido do comprimento. Com uma colher de café, retire e descarte o miolo com as sementes. Transfira as metades para uma assadeira com a parte cortada para cima, regue com o caldo de limão e polvilhe com canela em pó.

3. Numa tigela, misture a farinha com a aveia, o açúcar e uma pitada de canela. Junte a manteiga e misture com a ponta dos dedos até formar uma farofa grossa — a manteiga não pode desmanchar completamente. Por último, misture as nozes.

4. Com uma colher, distribua a farofa sobre cada metade de maçã, formando um montinho. Leve ao forno para assar por cerca de 30 minutos, até dourar. Retire do forno e sirva ainda quente. Ah, cuidado com a temperatura da maçã que vai virar papinha!

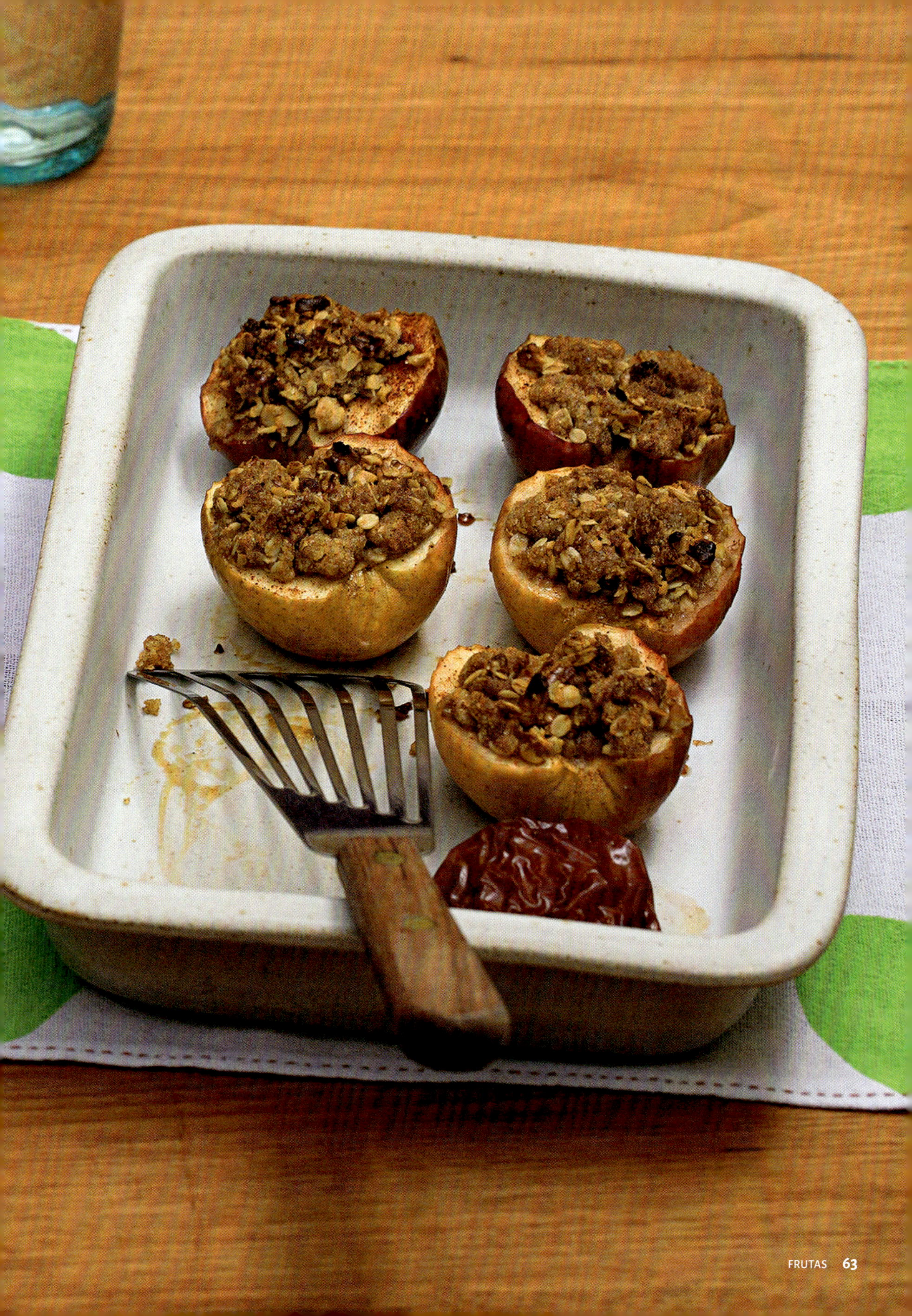

Pera

A escolha do tipo de pera tem mais a ver com a consistência do que com o sabor: algumas, como a asiática, são bem firmes; outras, como a pera Williams, são mais macias e suculentas, ideais para a papa doce. Corte a fruta ao meio, no sentido do comprimento, descarte as sementes e raspe a polpa com uma colher: virou papa. A versão míni tem tamanho ótimo. A pera também escurece rapidamente — consuma assim que cortar.

❶ WILLIAMS: tem a polpa macia e granulosa. Ideal para comer crua, mas também fica ótima assada em papillote, em compotas, geleias ou sobremesas. Para fazer a papa, basta raspar a polpa com a colher.

❷ PORTUGUESA: tem a polpa mais firme e crocante quando verde, e mais macia e suculenta quando madura. Ótima para o preparo de sobremesas, pois não desmancha — e fica deliciosa, ainda verde, em saladas e sanduíches.

❸ ASIÁTICA: parece uma mistura de pera com maçã. Ofereça crua, raspada com colher ou em pedaços quando o bebê já conseguir mastigar.

Métodos de cozimento

COZIDA: depois de cozida, a pera fica macia sem perder o formato (quanto mais verde estiver a fruta, maior o tempo de cozimento necessário). As variedades Williams ou portuguesa, de polpa mais granulosa, são ideais porque não desmancham.

Descascada, a pera cozida fica mais elegante. Além disso, a fruta absorve os sabores do cozimento. Caldo de laranja ou de limão e ervas frescas e especiarias turbinam o preparo.

Depois de 40 minutos, a fruta estará macia o suficiente para ser amassada com garfo — lembre-se de descartar as sementes. A vantagem da pera cozida é que o purê pode ser armazenado na geladeira, por até dois dias, sem escurecer.

Aproveite a panela, as especiarias e prepare duas receitas de uma só vez: papa de pera e sobremesa para a família.

FRUTAS 65

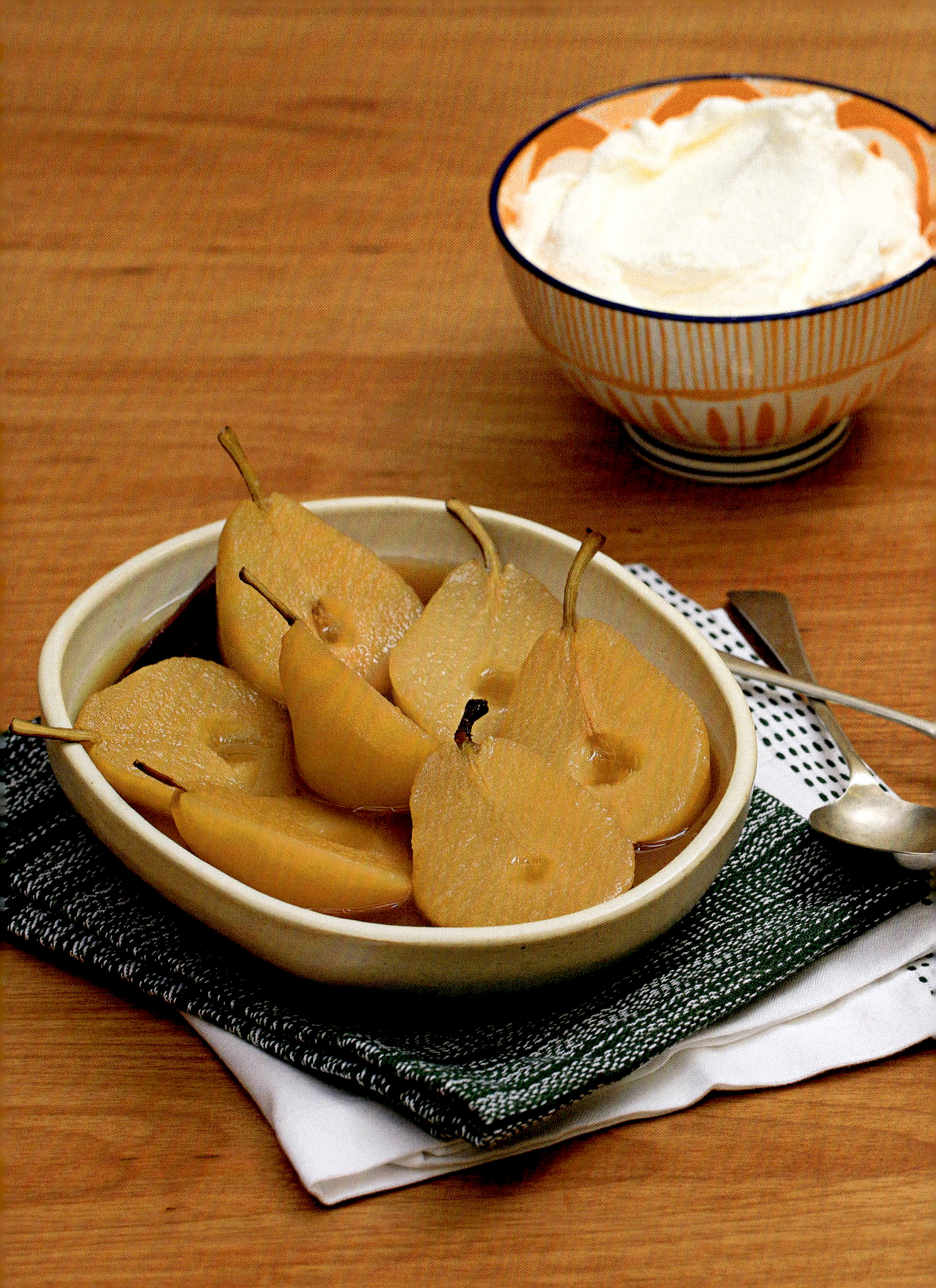

RECEITA-BÔNUS PARA A FAMÍLIA

Pera com calda perfumada de rapadura

Aquela sobremesa vintage ganha releitura: em vez do vinho que tinge as peras, vamos de calda cítrica, com direito a especiaria — bem perfumada! Rende uma papinha supimpa para o bebê e, com a adição de rapadura, uma calda adocicada para a família.

SERVE **4 PESSOAS** | PREPARO **1 HORA**

5 PERAS WILLIAMS
3½ XÍCARAS (CHÁ) DE ÁGUA
CASCA E CALDO DE 1 LIMÃO-SICILIANO
2 CANELAS EM RAMA
3 FATIAS GROSSAS DE GENGIBRE
½ XÍCARA (CHÁ) DE RAPADURA RALADA (CERCA DE 80 G)

1. Descasque e corte cada pera ao meio no sentido do comprimento, mantendo o cabinho. Com uma colher de café, retire o miolo com as sementes. Com a faca, faça tiras da casca do limão, mas sem a parte branca, que amarga a receita.

2. Numa panela média, coloque as peras, a casca e o caldo do limão (peneirado), a água, o gengibre, a canela e leve ao fogo médio. Assim que ferver, abaixe o fogo e deixe cozinhar por mais 35 minutos, ou até as peras ficarem macias, mas sem desmancharem — para verificar, teste com a ponta de uma faca. Mexa de vez em quando, delicadamente, para cozinhar por igual.

3. Com uma escumadeira, retire duas metades de pera e reserve num prato. Acrescente a rapadura à panela e deixe cozinhar por mais 10 minutos para formar uma calda perfumada. Enquanto isso, amasse a pera reservada com um garfo, até atingir a consistência de papa, e deixe amornar antes de servir ou armazenar.

4. Transfira as peras cozidas com a calda para uma tigela e deixe amornar antes de levar para a geladeira. Sirva fria com creme batido.

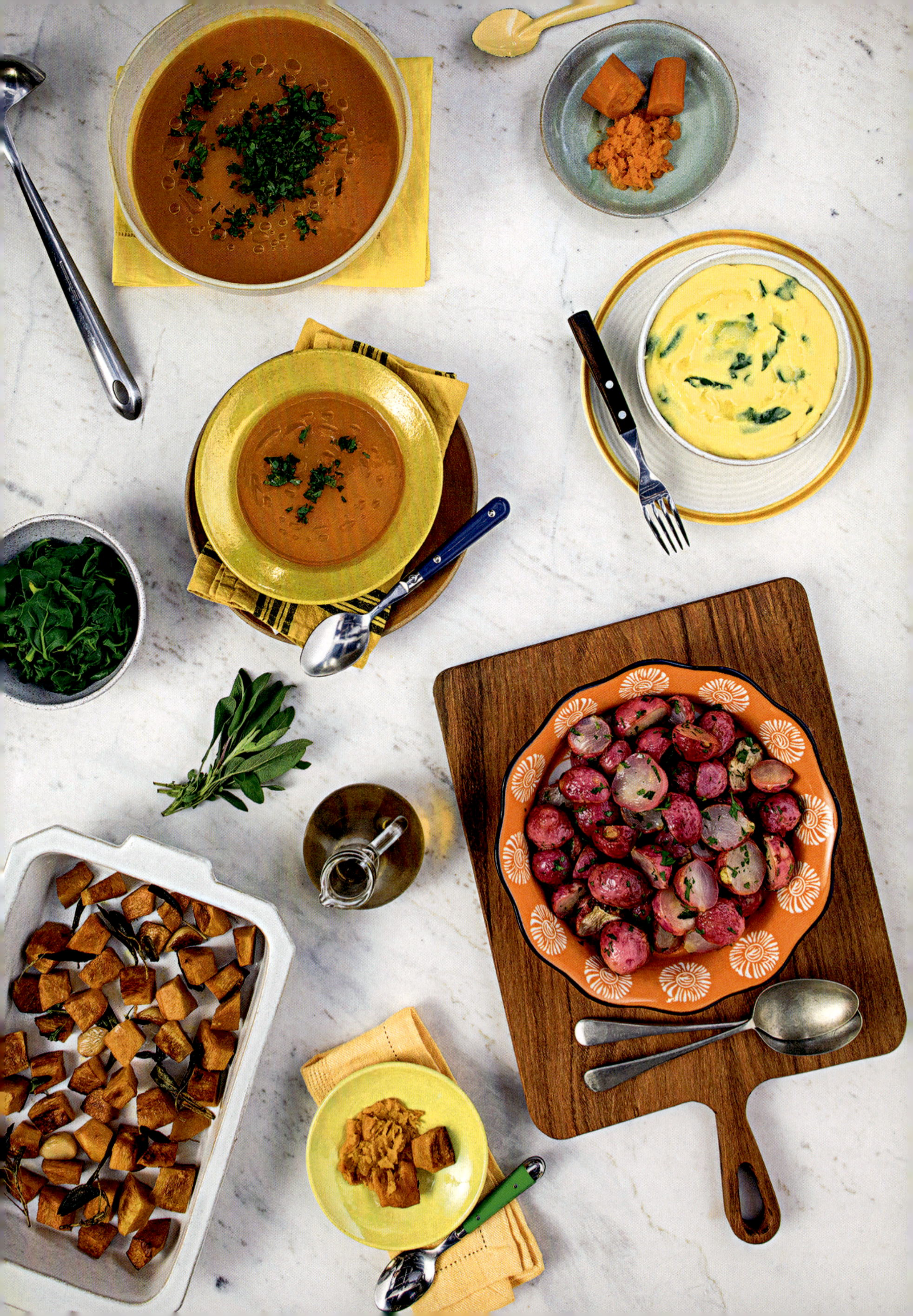

LEGUMES E VERDURAS

Capriche na variação!

ASSIM QUE O BEBÊ COMEÇAR A COMER, VOCÊ FICARÁ COM VONTADE DE LEVAR A FEIRA TODA NA SACOLA! AOS POUCOS, PARA EVITAR O DESPERDÍCIO, VAI APRENDER A COMPRAR NA MEDIDA — E DESCOBRIR QUE O CONGELADOR É UM GRANDE ALIADO. MAS UMA COISA É CERTA: A ALIMENTAÇÃO DA FAMÍLIA TODA VAI MELHORAR.

Pode tudo. Aliás, não só pode, como deve. Só não pode cru — aquela salada de folhas verdes ficará para uma segunda etapa, depois que o bebê completar um ano. Até lá, vamos colorir o prato com cenoura, beterraba, couve, pimentão, quiabo, brócolis, chuchu, berinjela, espinafre, couve-flor, abóbora, rabanete... Rabanete? Sim, assado fica sensacional (e, para o bebê, basta picar bem miudinho).

Para escolher os legumes e as verduras, o ideal é levar em consideração a sazonalidade e as variedades que são próprias da sua região. Isso é receita infalível para colocar no prato ingredientes mais saborosos, com menos agrotóxicos e preços mais em conta. Se der para comprar orgânicos, melhor.

Como você já sabe, variação é fundamental, porque cada alimento tem uma composição nutricional única — e, consequentemente, quanto maior a variedade, mais tipos de nutrientes você oferece ao bebê. Mas alternar os métodos de cozimento e os temperos também ajuda a ampliar o repertório gustativo. São muitas as possibilidades, não precisa oferecer apenas cenoura cozida na água (coitadinho do bebê!).

Só mais um aspecto para você avaliar na hora de fazer as compras: quanto mais cedo os alimentos desse grupo forem apresentados à criança, maiores as chances de ela gostar de legumes e verduras no futuro. Compre um pouquinho de cada. E coloque a feira do bairro no roteiro da semana — o bebê pode até ir junto!

GUIA RÁPIDO
DE PRÉ-PREPARO DE LEGUMES E VERDURAS

Vamos começar? Não! Falta dar uma espiada na cozinha. Você tem os utensílios certos? Eles vão deixar tudo mais simples: descascador, escovinha própria para legumes, fôrmas de gelo e sacos plásticos com fechamento hermético para congelar e uma panelinha para cozinhar poucas quantidades. Pronto. Vamos?

Já falamos sobre a higienização dos alimentos no primeiro capítulo, mas não custa reforçar. No caso das verduras, destaque as folhas do maço e lave em água corrente. Se for refogar, escorra bem — quanto mais sequinhas, melhor, já que água espirra quando entra em contato com a gordura. Lave os legumes com uma escovinha de uso exclusivo.

- Beterraba, abóbora, cenoura e chuchu devem ser descascados antes de cozinhar.
- Abobrinha, berinjela, tomate (e outros legumes de casca fina) podem ser consumidos com a casca.
- As folhas podem ser cozidas inteiras (espinafre, por exemplo) ou em pedaços grandes (couve, escarola, repolho etc.). Só depois vão ser picadinhas para o bebê.
- Corte sempre em pedaços uniformes para garantir o cozimento por igual — brócolis em floretes, beterraba em cubos, cenoura em rodelas etc.

PARA COZINHAR
EM ÁGUA

Cozinhar em água é uma excelente opção, especialmente nas primeiras semanas da introdução alimentar. Quando o ingrediente está no ponto, macio, é só retirar da água e amassar com garfo ou picar fininho, como no caso dos brócolis. Essa técnica de cozimento é ideal para os bebês, mas, para a gente que já está na estrada há tanto tempo, os legumes e as verduras podem ficar um pouco sem graça.

Você pode fazer algumas preparações só para o bebê, e até congelar, mas, depois de separar a porçãozinha dele, dá também para aproveitar esse passo inicial em outras receitas, como purês, patês, sopas, caldos e até nhoque.

- O tamanho da panela é escolhido de acordo com a quantidade de ingredientes, para que a água usada seja suficiente para cobrir os legumes e as verduras, sem desperdiçar água nem diluir muito os nutrientes.
- Leve ao fogo alto a panela com os pedaços de legumes e verduras e água em temperatura ambiente. Assim que ferver, abaixe o fogo. Deixe cozinhar até ficar macio. O tempo de cozimento varia de acordo com o alimento e a consistência desejada: quando conseguir perfurar facilmente com um garfo, está no ponto para o bebê.
- Amassar ou picar os alimentos ainda quentes é sempre mais fácil.
- Vale otimizar preparos: cozinhe a abóbora no feijão e a cenoura com a carne de panela.
- Nem tudo pode ser amassado, caso dos brócolis, da couve-flor, da abobrinha, da vagem e da berinjela. O lance é servir bem picadinho — continuamos longe do processador de alimentos, do liquidificador e da peneira!
- O bebê pode compartilhar a comida da casa, temperada com pouco sal. Mas, se for preparar só para ele, não precisa salgar a água nem temperar os legumes e verduras.
- Você pode, porém, temperar a água com ervas e especiarias — louro, cravo, canela em rama, alecrim, sálvia. E pode também temperar os legumes e as verduras prontos com ervas frescas picadinhas, como salsinha, cebolinha, manjericão. Um fio de azeite também dá um sabor especial.

Algumas ideias de preparações com legumes e verduras cozidos em água

BETERRABA COZIDA COM CANELA E TOMILHO: Descasque e corte 3 beterrabas em 6 pedaços cada (assim elas cozinham mais rápido!). Cubra com água, junte 2 ramas de canela e 3 ramos de tomilho. Depois que ferver, conte 30 minutos — para o bebê, a beterraba deve estar macia o suficiente para ser amassada; caso contrário, cozinhe um pouco mais.

Para a família: você pode preparar uma pastinha que vira entrada colorida e saborosa. Basta bater 2 beterrabas cozidas (descarte antes o tomilho e a canela) com ½ xícara (chá) de ricota, temperar com ½ colher (chá) de sal, ½ colher (chá) de zátar e caldo de ½ limão (os bebês não devem comer derivados de leite nessa fase).

ESPINAFRE COZIDO SERVIDO COM CALDO DE LIMÃO: O espinafre cozinha muito rápido. Para deixar as folhas bem verdinhas, mergulhe em água fervente salgada por apenas 3 minutos. Escorra bem e pique as folhas (sempre depois de cozidas), tempere com um fio de azeite e um pouco de caldo de limão. Está pronto para servir, mas esse também pode ser o primeiro passo para outras receitas da família — o espinafre vira recheio de pastel ou de torta, por exemplo. Outras opções: adicione as folhas de espinafre na polenta cremosa quente, na lentilha ensopada ou na sopa. Elas vão cruas direto para o preparo, sem escalas.

CENOURA COZIDA (QUE VIRA SOPA PERFUMADA PARA A FAMÍLIA): Descasque e corte 4 cenouras em 4 pedaços cada. Leve para a panela e junte 1 cebola e 1 talo de salsão também cortados, mais 1 folha de louro e tiras da casca de 1 laranja. Cubra com 1½ litro de água e deixe cozinhar por 40 minutos, contados depois de ferver. Amasse 1 pedaço de cenoura e regue com um fio de azeite para servir ao bebê.

Para a família: descarte a folha de louro e as tiras da casca da laranja, tempere o caldo restante com 2 ½ colheres (chá) de sal, ½ colher (chá) de cúrcuma, 1 pitada de gengibre em pó e ½ colher (sopa) de mel. Bata com as cenouras no liquidificador, e está pronta uma bela sopa.

ASSAR
É UM BARATO!

Esse método é capaz de mudar o sabor de muitos legumes e verduras que você já conhece — quiabo, vagem, rabanete... E é prático à beça: cortou, regou com azeite, temperou (ervas, especiarias, uma pitadinha de sal) e forno!

- Essa técnica se aplica a quase todo legume e verdura, cortado nos mais diversos formatos: brócolis em floretes, chuchu em quartos, abobrinha em rodelas, cenoura em palitos ou abóbora em cubos. O sabor é surpreendente e vai mudando de acordo com a erva ou a especiaria usada na combinação. Diferentemente dos tubérculos, que precisam cozinhar em água antes de ir ao forno, aqui eles vão direto para a assadeira.
- A temperatura dos fornos varia muito. Se ainda não tem o hábito, comece com 200 °C (temperatura média). Sempre preaqueça o forno — por cerca de 20 minutos. Vai assar uma carne? Aproveite para colocar legumes ou verduras em outra assadeira.
- Se quiser deixá-los crocantes, espalhe os pedaços na assadeira, sem encostar ou sobrepor um ao outro, para que o ar possa circular. Para que fiquem bem macios, o truque é deixá-los bem juntinhos: use uma assadeira ou refratário pequeno.
- Para o bebê, porém, aquela deliciosa casquinha dourada que se forma nos legumes e nas verduras é difícil de mastigar nos primeiros três meses da introdução alimentar. Deixe para oferecer em um estágio mais avançado, ou pique bem miudinho. Ou então: você pode tirar do forno apenas a porção dele e amassar com o garfo. A porção da família continua dourando, que tal? Quando o pequeno tiver mais dentes e a mastigação mais madura, vai poder provar a versão dourada.

Combinações de sabores que sempre funcionam para legumes e verduras assados

BRÓCOLIS ASSADOS SERVIDOS COM RASPAS DE LIMÃO: Numa assadeira, besunte os floretes (pequenos) de 1 brócolis ninja com 2 colheres (sopa) de azeite. Tempere com ½ colher (chá) de sal e leve ao forno para assar por 20 minutos. Polvilhe com as raspas de 1 limão-siciliano e sirva a seguir. Pique bem fininho para oferecer ao bebê.

ABÓBORA ASSADA COM ALHO E SÁLVIA: Espalhe os cubos de ½ abóbora japonesa (descascada) numa assadeira grande, junte 6 dentes de alho descascados e as folhas de ½ maço de sálvia (lavadas e secas). Regue com 2 colheres (sopa) de azeite e tempere com ½ colher (chá) de sal. Misture bem e leve ao forno para assar por cerca de 40 minutos — na metade do tempo, dê uma chacoalhada na assadeira, assim tudo assa por igual. Os dentes de alho ficam bem macios e adocicados — vão inteiros, com os cubos, para a família, ou podem ser amassados para servir ao bebê.

RABANETE ASSADO COM SALSINHA: Depois de assado, o rabanete perde o ardido e fica bem macio, na textura ideal para ser picado. Corte 10 rabanetes (lavados e secos) ao meio, tempere numa tigela com 1 colher (sopa) de azeite e ½ colher (chá) de sal. Espalhe numa assadeira, com a parte cortada para baixo, e leve ao forno para assar por 20 minutos. Misture com 2 ramos de salsinha fatiados e sirva bem picadinho para o bebê.

Para a família: basta temperar o restante com pimenta-do-reino moída na hora e servir com mostarda de Dijon (depois me conta...).

REFOGAR
É RAPIDINHO!

Se você já preparou um arroz na vida, já refogou uma cebola. Refogar é uma técnica que funciona como passo inicial de muitas receitas, mas também serve para preparar acompanhamentos. Basicamente, o método consiste em cozinhar em azeite verduras e legumes picados, mexendo sempre. É comum começar o preparo refogando cebola ou alho e, na sequência, juntar o legume ou a verdura principal — pode ser escarola, chuchu, brócolis. Mas não é obrigatório: abobrinha ralada refogada em azeite, sem cebola nem alho, fica bem saborosa.

- Cortado em pedaços pequenos ou ralado, todo legume pode ser refogado. Mas essa técnica é ainda melhor para ingredientes aguados, como a abobrinha, o chuchu e a berinjela.
- Já as verduras têm características de cozimento particulares. O cozimento é mais rápido e elas podem ser picadinhas — não dá para amassar com o garfo.
- Para refogar, leve uma frigideira grande ao fogo médio. Quando aquecer, regue com azeite. Se for refogar com cebola, comece com ela e misture até murchar; se for usar alho picado, misture depois que a cebola murchar e mexa bem, para perfumar. (O tempo de cozimento dele é menor que o da cebola.) Acrescente o legume ou a verdura de uma só vez e refogue mexendo sempre, até que murche (verdura) ou fique macio (legume).
- As folhas soltam bastante líquido, por isso vão diminuir significativamente de volume.

Ideias de refogados que são um arraso!

ESCAROLA REFOGADA COM ALHO: Refogue 1 maço de escarola fatiado e 1 dente de alho picado bem fininho em 2 colheres (sopa) de azeite. Tempere com ¼ de colher (chá) de sal. Em 2 minutos a escarola estará saborosa e bem macia. Para o bebê, basta picar bem miudinho e está pronto o acompanhamento do pê-efinho.

Para a família: misture uvas-passas, tempere com pimenta síria e caldo de 1 limão. Fica muito do bom!

TOMATE REFOGADO COM ALHO E MANJERICÃO: Descarte as sementes e corte 4 tomates em cubos médios. Refogue em 2 colheres (sopa) de azeite por 3 minutos, até ficarem macios. A variedade não importa muito, viu? A única exigência é que estejam maduros, assim eles ficam bem docinhos, quase desmanchando. Em seguida, misture 2 dentes de alho picados bem fininho e 3 ramos de manjericão debulhados para perfumar. Tempere com ½ colher (chá) de sal e sirva a seguir.

Para a família: esse tomate refogado pode ser acompanhamento para o pê-efe, a omelete ou molho rápido para o macarrão — olha que esperteza.

ABOBRINHA REFOGADA COM HORTELÃ: Sozinha, vira acompanhamento para o pê-efinho do bebê. Com mais ingredientes, se transforma num molho de macarrão diferentão para os pais, quer ver? Refogue 2 abobrinhas raladas em ¼ de xícara (chá) de azeite por 5 minutos, até ficarem bem macias. Tempere com uma pitada de noz-moscada ralada na hora. Não precisa nem salgar, pois vamos usar um pouco da água salgada do cozimento da massa para formar o molho.

Para a família: é fácil transformar a abobrinha do bebê em molho de macarrão. Cozinhe 2 xícaras (chá) de fusili em água salgadinha como o mar, até ficar *al dente*. Pique as folhas de ½ maço de hortelã (ou manjericão fresco) e adicione à abobrinha. Junte ½ xícara (chá) da água do cozimento do macarrão aos poucos, para deixar o molho mais fluido. Escorra o macarrão e misture ao molho. Acrescente ½ xícara (chá) de queijo parmesão ralado e sirva a seguir.

CONGELE JÁ!
E USE EM ATÉ TRÊS MESES

CRUS: alguns legumes e verduras podem ser congelados crus e vão direto do freezer para a panela: abóbora cortada em cubos, repolho fatiado, pimentão em cubinhos, salsão e cenoura picados, ralados ou fatiados fininho, além de couve e espinafre picados ou fatiados.

BRANQUEADOS: alguns legumes e verduras precisam de um pré-cozimento para não perderem a cor e a textura durante a preparação. Branquear é a técnica mais indicada: mergulhe-os por alguns segundos na água fervente e, na sequência, transfira para uma tigela com água gelada (pode colocar uns cubos de gelo), para interromper o cozimento. Escorra bem a água e congele-os. Mas, antes, observe:

- Para legumes e verduras verdes, amarelos e alaranjados, como brócolis, vagem, ervilha fresca e cenoura, coloque uma pitada de sal na água.
- Para legumes e verduras brancos e roxos, como couve-flor, beterraba e repolho, coloque uma colherada de vinagre na água.

É técnica, mas parece truque, né?

LEGUMES E VERDURAS JÁ COZIDOS: Quando estiverem no ponto de amassar, porcione e congele (pode ser na fôrma de gelo). Facilita o dia a dia, senhores pais, até porque a porção do bebê é bem pequena. Quer um exemplo? Se os adultos vão comer salada de folhas, coisa que não é para o bico do bebê, garanta a porção dele descongelando o ingrediente que você, muito esperto, cozinhou previamente: deixe na geladeira na véspera e aqueça na hora de servir. Se for descongelar em cima da hora, pode usar o micro-ondas, mas em intervalos curtos de tempo, mexendo o alimento para não cozinhar excessivamente nem esquentar demais (cheque a temperatura na hora de oferecer, sempre). Veja na página 33 as regras de uso do micro-ondas. Outra opção é aquecer numa panelinha com 1 colher (sopa) de água filtrada.

Receitas-bônus para a família

Legumes cozidos, refogados e assados são essenciais no pê-efinho dos bebês. Para incrementarem o prato das outras pessoas da casa, podem ganhar uma colherada de um molho especial. Veja a seguir três ideias:

PESTO RÁPIDO: No liquidificador (ou processador), bata 1 xícara (chá) de folhas de manjericão lavadas (pressione na xícara para medir), com ¼ de xícara (chá) de nozes, ¼ de xícara (chá) de queijo parmesão ralado, 1 dente de alho descascado e ½ xícara (chá) de azeite. Dica: para manter o pesto bem verdinho, bata o molho com 1 cubo de gelo. Se for guardar na geladeira, transfira para um pote e regue com mais azeite para formar uma camada protetora. Tampe e retire da geladeira meia hora antes de usar. Se for preparar um macarrão ao pesto para a família, use um pouco da água do cozimento, salgada, para formar o molho.

MOLHO DE TAHINE: No pilão, bata bem 1 dente de alho com uma pitada de sal até formar uma pastinha. Misture ¼ de xícara (chá) de tahine (pasta de gergelim) e o caldo de 1 limão. Junte aos poucos ¼ de xícara (chá) de água filtrada, até ficar na consistência desejada (mais fluido ou encorpado).

MOLHO DE IOGURTE: Lave, seque e pique fino as folhas de 1 ramo de hortelã e 3 ramos de salsinha. Transfira para uma tigela, misture bem com 1 pote de iogurte natural (170 g) e ½ colher (sopa) de azeite e tempere com sal e pimenta-do-reino moída na hora a gosto.

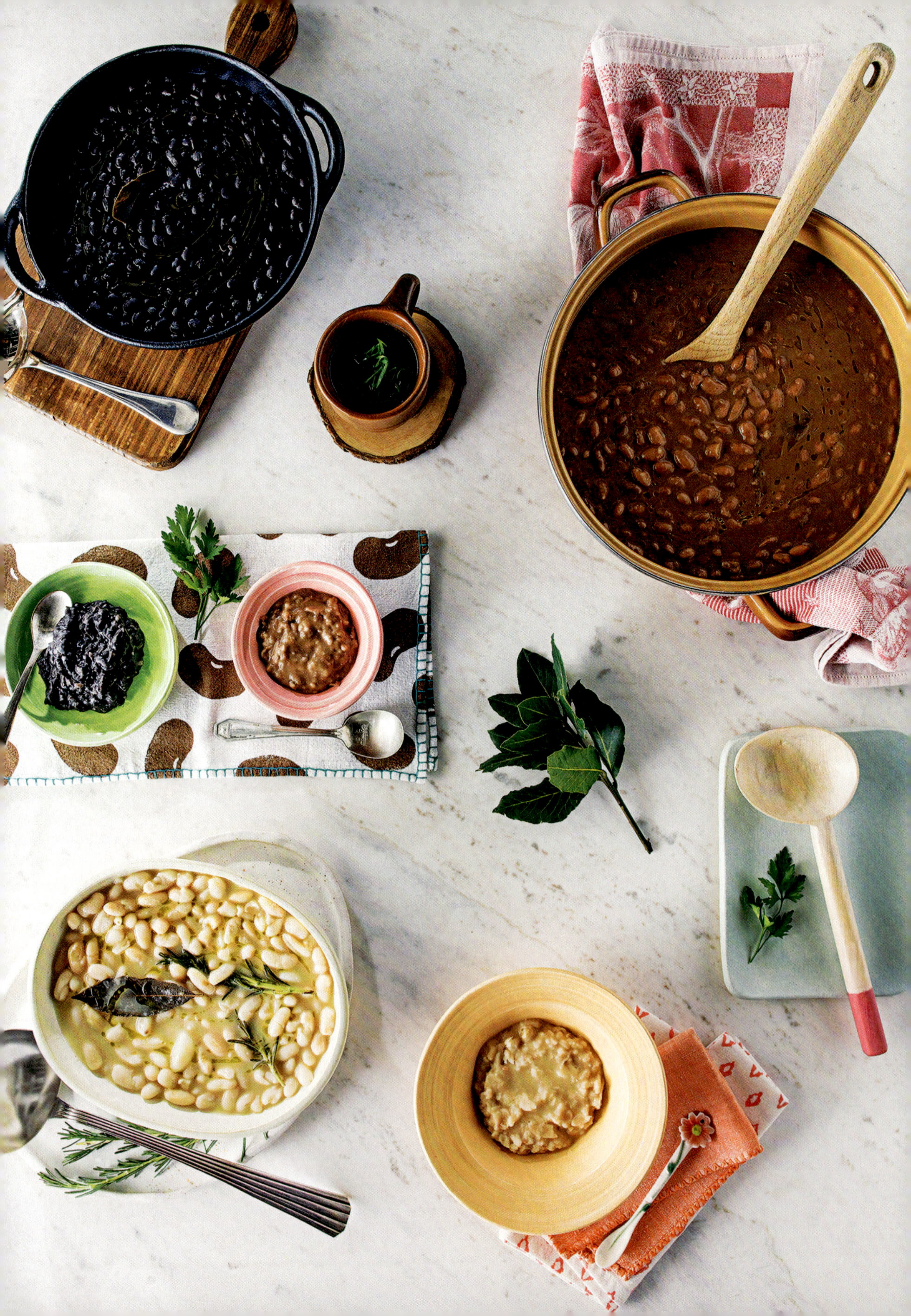

FEIJÕES

Vamos botar feijão na água!

Este é o capítulo das leguminosas, dos feijões. E, de feijão, brasileiro entende — os grãos sempre estiveram na base da nossa alimentação. Mas, se você ainda não entende, é agora que isso vai mudar. Nas próximas páginas, aprenda a escolher, cozinhar, temperar, variar e servir. Feijão é essencial para a alimentação dos pequenos (e dos grandes também). E mais: ele é um excelente alimento para treinar o planejamento. Dá para preparar uma vez por semana e comer todos os dias. Coloque de molho na água agora!

Leguminosas são plantas cujos frutos são favas. Dentro de cada fava há sementes como o feijão, a ervilha, a lentilha, a soja, o grão-de-bico. Mas muita gente confunde alhos com bugalhos e associa leguminosas com legumes. Para facilitar, por aqui o grupo alimentar das leguminosas é chamado de **grupo dos feijões**. Afinal, no Brasil o feijão é a mais famosa delas.

Feijão é essencial na nossa alimentação: é saudável, acessível e dá saciedade

Poucos povos souberam tirar tanto proveito desse ingrediente como nós! Se o alimento saiu da sua mesa nos últimos tempos, seja por força do destino ou das dietas da moda, a presença de um bebê na casa é um ótimo motivo para catar grão a grão de volta. Feijão é saudável, acessível, dá saciedade e é gostoso à beça. Além de tudo, facilita o planejamento do cardápio semanal: tendo arroz e feijão na mesa todos os dias, metade do prato já está garantida. Não é à toa que essa é a base do nosso padrão alimentar tradicional.

Neste capítulo você vai conhecer alguns tipos de feijão, descobrir como variar o preparo, aprender os métodos e tempos de cozimento e fazer cada minuto render na cozinha.

FEIJÃO COM ARROZ: A DUPLA PERFEITA

A combinação de arroz (que é um cereal) com feijão (que é uma leguminosa) garante proteínas em níveis comparados com os da carne. Excepcionalmente, vamos usar um pouco de "nutricionês" para entender a ciência por trás das nossas tradições.

As proteínas são nutrientes imprescindíveis para a formação dos tecidos. Elas são compostas de aminoácidos essenciais (que o corpo não consegue produzir) e não essenciais (que o corpo produz). É no nível dos aminoácidos que o arroz e o feijão se complementam: cada proteína tem uma variação específica deles, que totalizam vinte. No feijão, falta apenas o aminoácido metionina — cada grão tem todos os outros dezenove. No arroz, falta apenas o aminoácido lisina. Juntos, portanto, o arroz e o feijão formam uma proteína completa e fornecem todos os aminoácidos de que precisamos.

Os nossos antepassados não sabiam de nada disso quando juntaram o arroz com o feijão pela primeira vez no prato. Mas não foi à toa que a dupla se tornou a base do nosso padrão alimentar tradicional (que é o conjunto de alimentos e a forma de preparar e servir característicos de um país ou região). Os melhores hábitos vão sobrevivendo ao tempo e se incorporam à cultura, viram sabedoria popular. Você e eu não precisamos saber que os aminoácidos que compõem o arroz e o feijão são complementares para intuir que a dupla seja boa para a nossa alimentação. O resultado da experiência de juntar um com o outro vem sendo testado e comprovado há centenas de anos pelos brasileiros. Se não fosse bom, possivelmente não estaríamos mais aqui — ou teríamos trocado de padrão alimentar. Apresentar ao bebê o feijão com arroz é também introduzi-lo à cultura brasileira.

PASSO A PASSO
COMO COZINHAR FEIJÃO

Vamos começar com o feijão nosso de todo dia? Aqui tem tudo o que você precisa saber para preparar a leguminosa mais consumida no Brasil. Salvo algumas exceções, as técnicas explicadas a seguir valem para os outros grãos também. Mais detalhes adiante.

Variedades

Comece escolhendo o **tipo de feijão**. Alguns são melhores para servir com arroz, porque rendem um caldo cremoso. É o caso do carioca, do preto (ouvi feijoada?), do rosinha, do mulatinho, do jalo, do vermelho, do rajado e até do branco. Já o fradinho, o verde, o bolinha, o manteiguinha e o guandu mantêm melhor a forma do grão, mas não são bons para servir como ensopados — rendem saladas, mexidinhos, farofas e, claro, o fradinho vira acarajé. O azuki e o moyashi são famosos entre os orientais. Tem opção de sobra para agradar a paladares diferentes e — importante — para variar a alimentação também.

Antes de cozinhar o feijão, **selecione os grãos**. Hoje em dia eles já vêm pré-selecionados, então é mais uma passada de olhos: coloque a porção numa bancada, descarte os grãos que estejam muito enrugados, com furos ou manchas esbranquiçadas, menos saudáveis.

Molho e remolho

O feijão tem substâncias que o tornam indigesto e outras ainda que causam flatulência. Mas elas são hidrossolúveis, ou seja, são dissolvidas na água. Ufa! É por isso que o molho e o remolho são fundamentais. O processo é facílimo: numa peneira, lave os grãos sob água corrente, transfira para uma tigela e cubra com o dobro de volume de água; o ideal é deixar de molho por 12 horas e trocar a água pelo menos uma vez — isso é o remolho! Na hora de cozinhar, troque a água novamente.

Deixar de molho também diminui o tempo do cozimento, porque hidrata os grãos e assim eles precisam de menos água e menos tempo no fogo para ficarem macios e cozinharem por igual. Mas tem uma questão: os grãos ficam mais pálidos. A solução para dar cor está no tempero: coloque no refogado urucum, páprica, um tomate pelado ou até mesmo extrato de tomate (atenção, não é molho, é o extrato).

Olha como o feijão obriga a gente a se planejar (o que é ótimo): como são 12 horas de molho, o ideal é deixar no início da noite anterior para dar tempo de preparar pela manhã. Mas, se não deu tempo, tudo bem. Use a técnica do "molho curto". Lave o feijão e, numa panela com o dobro de água, leve ao fogo alto; quando ferver, desligue e tampe. Depois de uma hora, escorra e troque a água e só então leve para cozinhar.

Com ou sem pressão?

Dá para cozinhar o feijão em todo tipo de panela — de ferro, de barro, de aço inox. Mas o jeito mais rápido e prático de cozinhar feijão é na **panela de pressão**. Fica pronto em cerca de um terço do tempo do cozimento convencional — não é pouca diferença! Nesse caso, a proporção é fácil de decorar: para cada xícara (chá) de feijão, vão 3 xícaras (chá) de água e — plim! — 1 folha de louro. Tampe a panela e deixe pegar pressão em fogo alto. Começou a apitar, diminua o fogo e conte os minutos (consulte na página 91 a tabela de tempo de cozimento, que varia entre os tipos). Desligue e espere a pressão sair completamente antes de abrir a tampa. (Tem chiado na válvula? Então ainda tem pressão, cuidado.) Outro ponto: o conteúdo da panela não deve exceder dois terços nem ser menor que um terço de seu volume total.

Na **panela convencional**, o feijão precisa de mais água, já que ela seca mais rápido e os grãos precisam estar completamente imersos para cozinhar de maneira uniforme (e ainda sobrar água para o caldo). Depois que começar a ferver, deixe cozinhar pelo tempo indicado para cada tipo de grão (de novo, à tabela!). Durante todo o processo, deixe a tampa entreaberta. A vantagem é que dá para verificar o ponto do cozimento a qualquer momento, o que é importante quando os grãos vão ser utilizados no preparo de saladas, farofas e baião de dois, por exemplo — e você corre menos risco de os grãos desmancharem.

Hora de temperar e engrossar

Depois de cozinhar, é hora de temperar o prato, o que se faz preparando um **refogado**, numa outra panela. Tecnicamente, refogar é cozinhar levemente no azeite (óleo ou outra gordura) legumes aromáticos picados, mexendo bem até que eles murchem. Nesse ponto, já liberaram sabor para dar e vender. Para cada xícara (chá) de feijão (medido cru), usam-se ½ cebola e 1 dente de alho. Esses são os ingredientes básicos do refogado. Mas dá para ir além — muito além. Beterraba ou cenoura raladas, pimentão ou tomate picadinhos, salsão ou alho-poró fatiados são algumas ideias. Também vale colocar uma pitada de especiarias no refogado: cominho em pó, páprica doce e gengibre em pó são um bom começo quando quiser variar os sabores.

E o sal?

Com moderação, sempre. As receitas deste capítulo foram testadas com a quantidade de sal adequada para bebês em fase de introdução alimentar. Para 1 xícara (chá) de feijão seco (medido ainda cru), usamos ½ colher (chá) de sal na hora de refogar. Os adultos podem deixar para colocar aquela pitadinha de pimenta-do-reino (moída na hora é sempre melhor) diretamente no prato.

Refogado pronto, é hora de **engrossar o caldo**: adicione 1 ou 2 conchas do feijão cozido (com líquido) e amasse os grãos com a colher. A mistura vai virar um purê rústico: ele tanto pode receber mais conchas do feijão como pode voltar para a panela com a porção inteira, tanto faz. O que você precisa saber é que só se tempera o feijão na hora em que for servir. Para congelar, o feijão deve ser apenas cozido. Os grãos já temperados, misturados ao refogado, agora precisam só cozinhar mais um pouco, até o caldo engrossar. Está pronto um feijão caseiro, tipicamente brasileiro, saboroso e saudável.

PLANEJAMENTO
CONGELAR FEIJÃO É UMA MÃO NA RODA

Como a gente viu, feijão leva tempo. Fazer todo o processo diariamente não faz sentido nem é necessário: feijão congela superbem depois de cozido e, quando temperado na hora de servir, fica fresquinho da silva. Logo, a solução mais inteligente é cozinhar a mais, porcionar e congelar. Questão de planejamento: você pode fazer isso uma vez por semana, a cada quinze dias, uma vez por mês. Só que tem jeito certo de fazer. E de desfazer.

Rendimento

Cada xícara (chá) de feijão (carioca ou preto) serve 4 porções para adulto. No início da introdução alimentar, o bebê come tão pouquinho que esse cálculo continua valendo. Não precisa cozinhar a mais.

Para congelar

Não se tempera o feijão que será congelado. Depois de cozido, porcione o feijão sem escorrer — tem que ir com o caldo do cozimento para o recipiente, seja um marmitex, um pote de vidro ou mesmo um saco plástico próprio para congelar alimentos. Preencha apenas ¾ do recipiente para dar espaço ao líquido, que vai aumentar de tamanho depois de congelado.

Sabe aquele dia em que a turma quer mesmo é pedir uma pizza? Garanta o feijão de todo dia do bebê congelando miniporções em fôrmas de gelo. Depois de congeladas, as "pedrinhas de feijão" podem ir para um saco plástico próprio, assim elas não grudam umas nas outras. Feche e anote a data. Leve ao congelador logo após o preparo do feijão, já temperado e amassado. (Sim, ainda quente. Essa é a forma mais segura.)

Para os feijões que não dão caldo, como o fradinho ou o guandu, e que vão virar salada ou pratos como o baião de dois ou o mexidinho, escorra antes de congelar. E descongele mergulhando em água fervente.

Para descongelar (com caldo)

O tempero feito na hora é o segredo para deixar o feijão congelado com sabor de novo, fresquinho. O ideal é deixar a porção congelada na geladeira na véspera do preparo. No dia, prepare o refogado e adicione o feijão (agora descongelado) em duas etapas: primeiro, umas colheradas com líquido, para amassar os grãos e formar o caldo; em seguida, o restante. Deixe cozinhar em fogo baixo, até engrossar. Funciona que é uma beleza.

EXISTEM OUTRAS FORMAS DE DESCONGELAR

POTE DE VIDRO: descongele em banho-maria: leve uma panela pequena com água ao fogo baixo, coloque o recipiente do feijão dentro dela e deixe descongelar enquanto prepara o refogado em outra panela.

MARMITEX: descongele direto na panela. Prepare o refogado numa panela de tamanho adequado para a porção a ser descongelada, junte o feijão congelado, tampe a panela e abaixe o fogo. Mexa de vez em quando com uma espátula e amasse alguns grãos para engrossar o caldo.

FÔRMA DE GELO: faça um refogadinho numa panela ou frigideira pequena, junte alguns cubos de feijão congelado e leve ao fogo baixo apenas para descongelar. Com um garfo, amasse os grãos no caldo, até ficar na consistência de papa. Perfeito para o bebê!

Para consultar:
tabela de cozimento dos feijões

Feijões são originalmente desidratados e vão ficando cada vez mais secos com o tempo. No geral, dá para confiar nesta tabela, mas, caso os grãos ainda estejam muito firmes no fim, considere esta outra regra: um feijão novo cozinha mais rápido do que um feijão velho. É só cozinhar mais um pouco que eles chegam lá. Para aumentar a porção, basta multiplicar as quantidades.

Anote: lentilha e ervilha seca a gente refoga antes de cozinhar. A mesma coisa pode acontecer com algumas receitas de cozidos com feijão-branco e grão-de-bico.

TIPO	TEMPO DE MOLHO E REMOLHO (de 8 a 12 horas, com uma troca de água)	NA PANELA CONVENCIONAL (quantidade de água / tempo de cozimento contado depois que começa a ferver)	NA PRESSÃO (quantidade de água / tempo de cozimento contado após começar a apitar)
Feijão-carioca, rosinha e rajado	de 8 a 12 horas	1 xícara (chá) de feijão seco: 2 litros de água (8 xícaras de chá) / 1 hora de cozimento	1 xícara (chá) de feijão seco: 3 xícaras (chá) de água / 10 minutos de cozimento
Feijão-preto	de 8 a 12 horas	1 xícara (chá) de feijão seco: 2 litros de água (8 xícaras de chá) / 1 ½ hora de cozimento	1 xícara (chá) de feijão seco: 3 xícaras (chá) de água / 15 minutos de cozimento
Feijão-fradinho	Opcional: 6 horas*	1 xícara (chá) de feijão seco: 1 litro de água (4 xícaras de chá) / 30 minutos de cozimento (com molho) e 45 minutos (sem molho)	1 xícara (chá) de feijão seco: 1 litro de água / 5 minutos de cozimento (com molho) e 10 minutos (sem molho)
Feijão-branco	de 8 a 12 horas	1 xícara (chá) de feijão seco: 1 litro de água (4 xícaras de chá) / 40 minutos de cozimento	1 xícara (chá) de feijão seco: 3 xícaras (chá) de água / 15 minutos de cozimento
Lentilha	não é necessário	1 xícara (chá) de lentilha: 2 litros de água (8 xícaras de chá) / 40 minutos de cozimento	1 xícara (chá) de lentilha: 3 xícaras (chá) de água / 5 minutos de cozimento
Grão-de-bico	de 8 a 12 horas	1 xícara (chá) de grão-de-bico seco: 2 litros de água (8 xícaras de chá) / 1 hora de cozimento	1 xícara (chá) de grão-de-bico seco: 2 xícaras (chá) de água / 30 minutos de cozimento
Fava	de 8 a 12 horas	1 xícara (chá) de fava seca: 1 ½ litro de água (6 xícaras de chá) / 1 ½ hora de cozimento	1 xícara (chá) de fava seca: 1 litro de água (4 xícaras de chá) / 40 minutos de cozimento
Soja	de 8 a 12 horas	1 xícara (chá) de soja seca: 1 litro de água (4 xícaras de chá) / 2 horas de cozimento	1 xícara (chá) de soja seca: 3 xícaras (chá) de água / 20 minutos de cozimento

* De acordo com nossos testes, não vale a pena deixar o feijão-fradinho de molho. A diferença de tempo de cozimento é muito curta, e a casca do feijão, de cor clara, indica que ele é menos indigesto — o cozimento dá conta de neutralizar esse efeito.

Outros feijões

A ideia de planejamento — fazer em maior quantidade e porcionar para congelar — também funciona bem para o grão-de-bico, a soja e a fava. A lentilha cozinha tão rápido que é mais prático preparar na hora. E a ervilha seca é um caso à parte, porque não precisa ficar de molho: cozida na pressão, vira sopa em 15 minutos, nem é necessário bater no liquidificador! Prepare um refogadinho de alho no azeite e, se quiser caprichar para a família, finalize com farofinha de bacon crocante.

Preparar em maior quantidade para porcionar e congelar também funciona bem para o grão-de-bico, a soja e a fava

A regra para congelar é a mesma: sem temperar e sem o caldo do cozimento (no caso de feijões para saladas) ou com o caldo (no caso de preparos ensopados).

Para descongelar, deixe na geladeira na véspera. Ou, para os grãos sem caldo (grão-de-bico, fava, soja e lentilha cozida firme para salada), mergulhe em água fervente por uns 2 minutos (o tempo pode variar com o tamanho do grão e a quantidade a ser descongelada). Escorra numa peneira e use um pouco da água ao amassar os grãos para a papa, se necessário.

RECEITA PARA O BEBÊ E PARA A FAMÍLIA

Feijão caseiro

Existem mil maneiras de preparar o feijão de todo dia. A ideia é mesmo variar o tipo de feijão, o tempero, os refogados. Para quem nunca preparou feijão, explico a seguir o passo a passo básico (e infalível). Mas, assim que você pegar o jeito, comece a variar o refogado — tem algumas boas ideias de combinações de sabores ao fim da receita.

SERVE **8 PORÇÕES** | PREPARO **30 MIN + 12 H** PARA O REMOLHO

FEIJÕES 93

PARA O REMOLHO

2 XÍCARAS (CHÁ) DE FEIJÃO-CARIOCA (OU RAJADO OU ROSINHA)
4 XÍCARAS (CHÁ) DE ÁGUA

1. Lave os grãos numa peneira sob água corrente. Transfira para uma tigela e cubra com a água — se algum grão boiar, descarte.

2. Cubra a tigela com um prato e deixe o feijão de molho por 12 horas. Troque a água uma vez nesse período.

PARA COZINHAR

6 XÍCARAS (CHÁ) DE ÁGUA
½ CEBOLA
1 DENTE DE ALHO
2 COLHERES (SOPA) DE AZEITE
2 FOLHAS DE LOURO
½ COLHER (CHÁ) DE SAL
PIMENTA-DO-REINO MOÍDA NA HORA A GOSTO
(OPCIONAL, PARA A FAMÍLIA)

1. Descarte a água do remolho, transfira os grãos para a panela de pressão, regue com a água e junte as folhas de louro. Tampe a panela e leve ao fogo alto. Assim que a válvula começar a apitar, abaixe o fogo e deixe cozinhar por mais 10 minutos.

2. Desligue o fogo e deixe toda a pressão sair antes de abrir a panela. Porcione metade do feijão cozido (com caldo) para congelar. Mantenha o restante na panela para temperar.

3. Descasque e pique fino a cebola e o dente de alho.

4. Leve uma frigideira ao fogo médio. Quando aquecer, regue com o azeite, junte a cebola e tempere com uma pitada do sal. Refogue por 3 minutos, até começar a dourar, adicione o alho e mexa por mais 1 minuto para perfumar. Junte 1 ou 2 conchas do feijão cozido com um pouco da água do cozimento, misture e amasse os grãos com a espátula — esse purê ajuda a engrossar o caldo.

5. Transfira o refogado com os grãos amassados para a panela do feijão cozido. Tempere com o sal, misture e deixe cozinhar em fogo baixo, sem tampa, por cerca de 10 minutos, ou até o caldo engrossar — esse tempo pode variar de acordo com a consistência desejada, mais rala ou mais cremosa. Mexa de vez em quando para que os grãos não grudem no fundo da panela. Sirva a seguir.

PARA VARIAR O REFOGADO

Legumes, ervas e especiarias podem ser acrescentados ao refogado básico de cebola e alho para transformar o sabor do feijão!

- **BETERRABA COM COMINHO:** 1 beterraba pequena ralada + ½ colher (chá) de cominho.
- **TOMATE COM PÁPRICA:** 1 tomate sem pele nem sementes em cubos + ½ colher (chá) de páprica doce.
- **PIMENTÃO COM TOMILHO:** ½ pimentão vermelho em cubinhos + 2 ramos de tomilho.

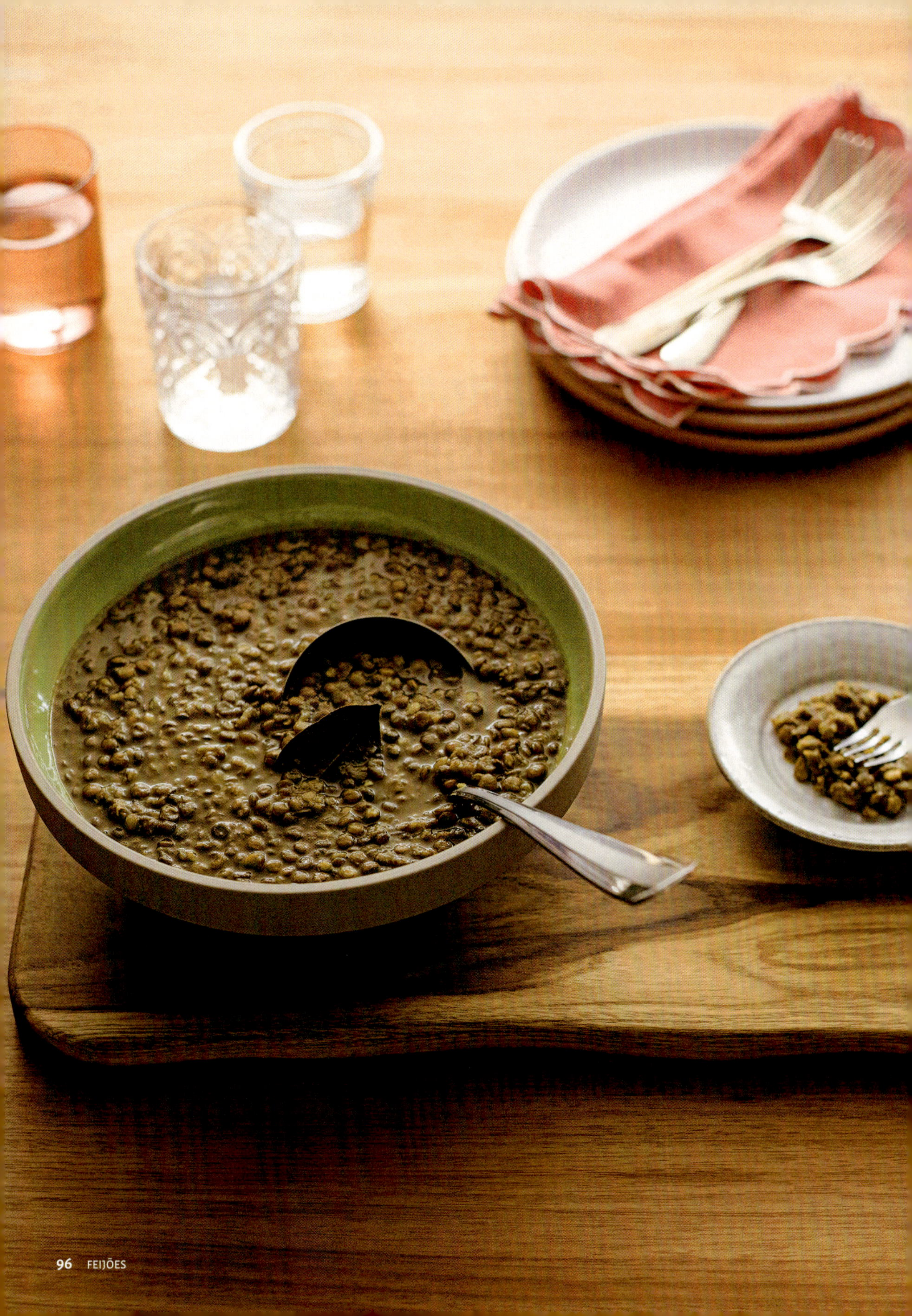

RECEITA PARA O BEBÊ E PARA A FAMÍLIA

Lentilha do dia a dia com cúrcuma

Com um refogado caprichado nas especiarias, a lentilha ensopada vai ganhar pontos positivos com toda a família. Cominho, cúrcuma e louro nela!

SERVE **4 PORÇÕES** | PREPARO **1 HORA**

1 XÍCARA (CHÁ) DE LENTILHA
1 CEBOLA
2 DENTES DE ALHO
1 LITRO DE ÁGUA
2 COLHERES (SOPA) DE AZEITE

½ COLHER (CHÁ) DE COMINHO
1 COLHER (CHÁ) DE CÚRCUMA
1 FOLHA DE LOURO
1 COLHER (CHÁ) DE SAL

1. Descasque e pique fino a cebola e o alho.

2. Leve uma panela média ao fogo médio. Quando aquecer, regue com o azeite, acrescente a cebola, tempere com metade do sal e refogue até começar a dourar. Junte o alho, o cominho, a cúrcuma e o louro e refogue por mais 1 minuto, para perfumar.

3. Regue com a água e raspe bem o fundo da panela para dissolver os queimadinhos do refogado — que ajudam a dar sabor ao ensopado. Adicione a lentilha e misture. Tempere com o restante do sal.

4. Assim que começar a ferver, abaixe o fogo, tampe parcialmente a panela e deixe cozinhar por mais 40 minutos, mexendo de vez em quando, até que a lentilha esteja macia e com o caldo levemente encorpado. Sirva a seguir.

LENTILHA A JATO NA PRESSÃO

Prepare todo o refogado na panela de pressão, junte a lentilha, regue com 3 xícaras (chá) de água, tampe a panela e deixe cozinhar por 5 minutos — contados depois que a panela começar a apitar. Desligue o fogo e deixe todo o vapor sair antes de abrir a panela. Sirva a seguir.

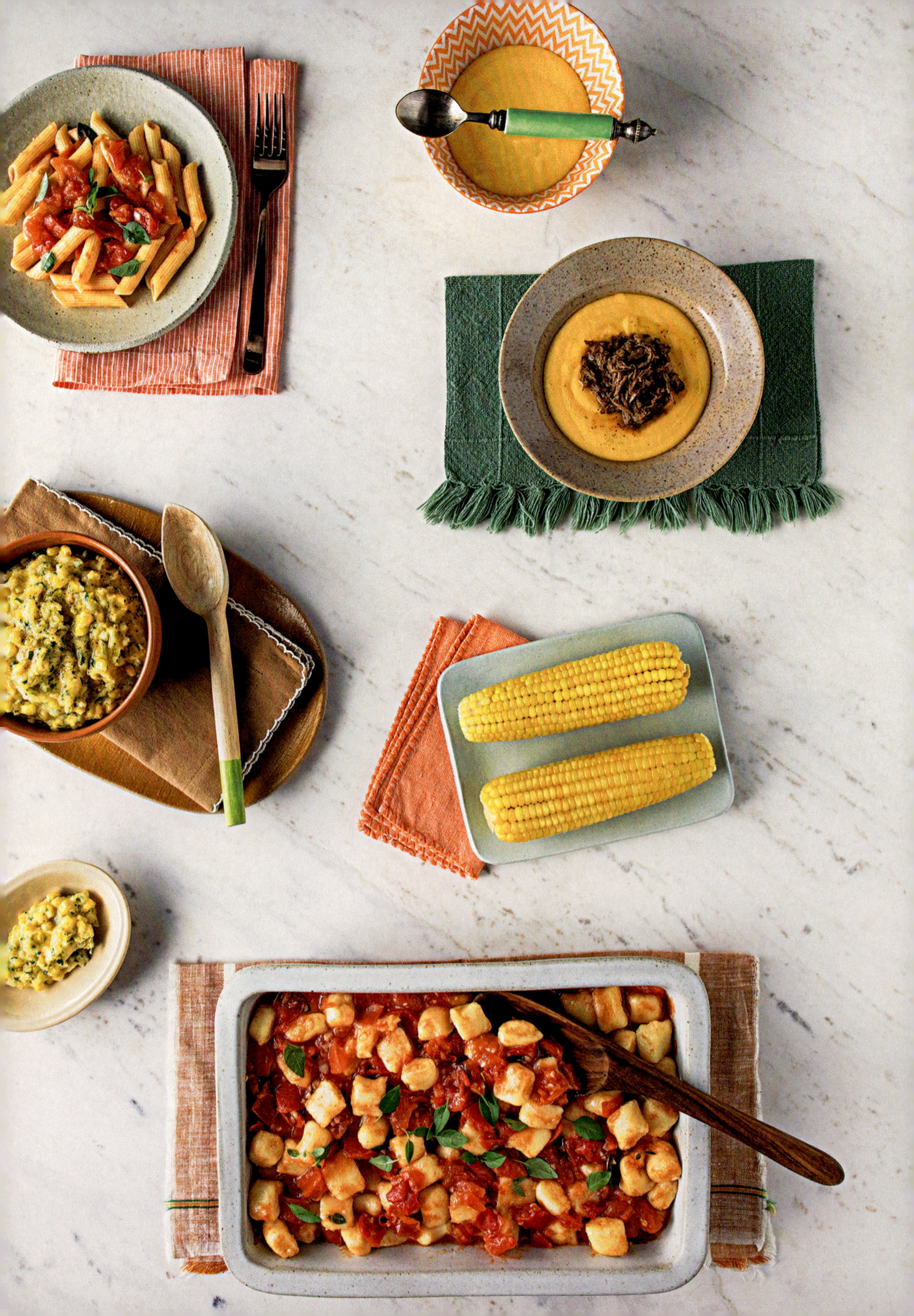

CEREAIS E TUBÉRCULOS

Quanta energia!

Pense em arroz soltinho, purê de batata, polenta cremosa, macarronada, viradinho delícia, farofa molhadinha, milho-verde cozido... esse bebê não perde por esperar! No grupo dos cereais e tubérculos estão os ingredientes que têm energia de sobra e rendem muitas receitas do nosso dia a dia.

Os cereais e tubérculos fazem parte do mesmo grupo alimentar na maioria dos sistemas de classificação de diferentes países. Isso acontece porque eles têm composição nutricional e uso culinário semelhantes. Em cada refeição do bebê, apenas um alimento desse grupo já seria suficiente para suprir as necessidades do organismo. Ou seja, se tem macarrão no prato, não precisa de arroz; se serviu arroz, não precisa de batata. Mas vai dizer que feijão, arroz e farofa não ficam uma delícia juntos? Ah, sim, as farinhas (de milho, de mandioca, de trigo) também entram nesse grupo.

No Brasil, é muito comum a gente colocar no prato arroz com batata ou mandioca, ou milho cozido, farofa... Aqui vai a primeira dica para não abrir mão dos nossos costumes: quando quiser servir mais do que uma preparação do mesmo grupo, divida o espaço do prato que seria destinado ao arroz, por exemplo, com os outros alimentos similares. Metade de arroz, metade de farofa, por exemplo. Ou seja, divida, em vez de somar. Assim você não corre o risco de oferecer mais alimentos desse grupo e comprometer a variedade necessária de nutrientes dos outros.

Do ponto de vista da praticidade, isso é uma grande vantagem. Não vamos cozinhar além da conta: se vai servir arroz, não precisa perder tempo preparando batata! Com a chegada do seu bebê ao maravilhoso mundo da introdução alimentar, você também vai aproveitar para deixar o cardápio da família mais balanceado e até mais simples de planejar.

Nos seis primeiros meses de introdução alimentar, além de controlar o sal e acertar a textura, outra adaptação importante diz respeito ao uso do leite no preparo dos alimentos, que não é aconselhado. No caso do purê de batata, por exemplo, antes de levá-lo à panela, reserve a porção da batata cozida para o bebê — ela só precisa ser amassada com um garfo. Em seguida, continue o preparo para a família normalmente. Pode juntar leite, manteiga, sal, pimenta-do-reino, noz-moscada... Aliás, neste capítulo você vai ver que o melhor é não se limitar à batata: alterne o uso com mandioquinha, batata-doce, mandioca, cará e inhame — todos rendem ótimos purês!

Antes de chegarmos às ideias de preparos com tubérculos, porém, vamos ao arroz, um ícone da cozinha brasileira. Do sexto ao oitavo mês do bebê, ele precisa ser bem macio, uma papa. A partir do nono, o bebê passa a comer o arroz soltinho, exatamente como o dos pais. Isso significa que, nesses dois primeiros meses, temos duas boas alternativas: amassar a porção do bebê com água fervente ou preparar uma panela de papa, com mais água e mais tempo de cozimento. Na sequência, é só porcionar e congelar. A seguir, explico as duas preparações — afinal, muita gente reclama que ainda não conseguiu deixar o arroz soltinho! Você escolhe o que for mais prático para a rotina da sua casa.

No fim do capítulo, vamos ter uma aula de boa alimentação com o seu bebê! Ele vai ensinar a você como pão e macarrão podem fazer parte de uma alimentação saudável. Ah, esses bebês... Mal chegaram ao mundo e já estão dando lição para os pais.

RECEITA PARA O BEBÊ E PARA A FAMÍLIA

Arroz branco soltinho

A partir do nono mês o bebê pode comer o mesmo arroz da família — é da panela para o prato. Mas como garantir que ele fique bem soltinho? Comece sabendo que, para cada xícara de arroz, vão 2 de água — uma das primeiras lições da cozinha brasileira. Aí, é só seguir a receita (cada passo importa, viu?). O preparo sai em meia hora, soltinho, perfumado com louro e sal na medida certa. E um lembrete: o feijão já está no jeito?

SERVE **4 PORÇÕES** | PREPARO **30 MINUTOS**

1 XÍCARA (CHÁ) DE ARROZ	1 COLHER (SOPA) DE AZEITE
2 XÍCARAS (CHÁ) DE ÁGUA	1 FOLHA DE LOURO
½ CEBOLA	½ COLHER (CHÁ) DE SAL

1. Descasque e pique fino a cebola. Numa chaleira, coloque a água e leve ao fogo baixo, até ferver.

2. Leve uma panela média ao fogo baixo. Quando aquecer, regue com o azeite, junte a cebola e tempere com o sal. Refogue por 2 minutos, até murchar. Acrescente o arroz, a folha de louro e mexa bem por 1 minuto, para envolver todos os grãos no azeite — isso ajuda a deixar o arroz soltinho depois de cozido.

3. Regue o arroz com a água fervente e misture bem, aumente o fogo para médio e não mexa mais. Assim que a água atingir o mesmo nível do arroz, abaixe o fogo e tampe parcialmente a panela. Deixe cozinhar até que o arroz absorva toda a água — para verificar, espete o arroz com um garfo até ver o fundo da panela; se ainda tiver água, deixe cozinhar mais um pouco.

4. Assim que secar, desligue o fogo e mantenha a panela tampada por 5 minutos antes de servir, para que os grãos terminem de cozinhar no próprio vapor. Em seguida, solte os grãos com um garfo, transfira para uma tigela e sirva quente.

PAPA DE ARROZ AMASSADO

Para preparar o arroz para o bebê de seis e sete meses: assim que terminar de cozinhar, transfira 1/3 de xícara (chá) de arroz para um prato fundo e junte 3 colheres (sopa) de água fervente. Misture e amasse bem com um garfo, para desmanchar os grãos e formar uma papa ainda com textura.

IDEIAS PARA VARIAR O SABOR DO ARROZ

- Acrescente outros ingredientes ao refogado: ½ cenoura ralada ou ½ talo de alho-poró fatiado ou 1 talo de salsão bem picadinho, por exemplo.
- Tempere com especiarias e ervas: junto com o sal, coloque ½ colher (chá) de cúrcuma ou 2 bagas de cardamomo ou 1 ramo de alecrim.
- Varie o líquido do cozimento: bata no liquidificador 2 xícaras (chá) de água com os talos e as folhas de ½ maço de brócolis e uma pitadinha de bicarbonato — vira arroz de brócolis, bem verdinho!
- Depois de pronto, misture ½ xícara (chá) de salsinha superpicadinha ou raspinhas de 1 limão.

Outros arrozes

Muitas famílias estão acostumadas a servir arroz integral no dia a dia. Ele também pode ser oferecido ao bebê. E pode ser preparado com um refogado saboroso, como o do arroz branco, mas a quantidade de água e o tempo de cozimento são outros.

Na tabela a seguir, incluí também o arroz-cateto polido, excelente opção para a introdução alimentar, pois é um arroz de grão curto que fica bem macio e até cremoso.

Nessas sugestões, os tempos de cozimento são pensados para o bebê de oito meses, que não precisa mais do arroz tipo papa.

TIPO	COZIMENTO CONVENCIONAL	COZIMENTO NA PRESSÃO
	(proporção de arroz: água / tempo de cozimento / rendimento do arroz cozido)	
Arroz branco (longo polido)	1 xícara (chá) de arroz: 2 xícaras (chá) de água / 20 minutos / rende 3 xícaras (chá)	1 xícara (chá) de arroz: 1½ xícara (chá) de água / 5 minutos / rende 3 xícaras (chá) *
Arroz integral (longo integral)	1 xícara (chá) de arroz: 3 xícaras (chá) de água / 45 minutos / rende 3 xícaras (chá)	1 xícara (chá) de arroz: 2 xícaras (chá) de água / 15 minutos / rende 3 xícaras (chá)
Arroz-cateto integral (curto integral)	1 xícara (chá) de arroz: 3 xícaras (chá) de água / 40 minutos / rende 3 xícaras (chá)	1 xícara (chá) de arroz: 2 xícaras (chá) de água / 15 minutos / rende 3 xícaras (chá)
Arroz-cateto polido (curto polido)	1 xícara (chá) de arroz: 2 xícaras (chá) de água / 20 minutos / rende 3 xícaras (chá)	1 xícara (chá) de arroz: 1½ xícara (chá) de água / 5 minutos / rende 3 xícaras (chá)

* Na panela de pressão, o arroz não fica soltinho como na panela normal — os grãos ficam mais unidos e úmidos.

RECEITA PARA O BEBÊ

Papa de arroz

O arroz vai ser cozido por mais tempo e com mais água do que o indicado nas medidas convencionais. O resultado são grãos supermacios e úmidos, ideais para virar papa. Amassada, ela fica mais lisa; sem amassar, tem mais textura. Ah, a receita é generosa, pensada para congelar.

SERVE **10 PORÇÕES** | PREPARO **35 MINUTOS**

½ XÍCARA (CHÁ) DE ARROZ
2 XÍCARAS (CHÁ) DE ÁGUA
¼ DE CEBOLA PICADA FINO
¼ DE COLHER (CHÁ) DE SAL
1 FOLHA DE LOURO

1. Leve uma panela pequena com a água ao fogo alto. Quando ferver, junte a cebola picada, a folha de louro e o arroz. Tempere com o sal e misture.

2. Abaixe o fogo e deixe cozinhar por 25 minutos com a tampa entreaberta, até o arroz absorver toda a água — para verificar, espete a ponta do garfo até ver o fundo da panela; se ainda tiver água, deixe cozinhar mais um pouco.

3. Assim que secar, desligue o fogo e mantenha a panela tampada por 5 minutos, para os grãos terminarem de cozinhar no próprio vapor.

4. Sirva a papinha de acordo com o estágio de desenvolvimento do bebê: grãos inteiros ou amassados (ainda quentes, com um garfo). Separe uma porção para servir, porcione o restante em forminhas de gelo e leve ao congelador. Depois de firmes, desenforme e junte os cubos em um saco plástico próprio para alimentos. Anote a data e mantenha no congelador por até três meses.

Batata, batata-doce e mandioquinha

Por reagirem ao cozimento de forma muito similar, esses três ingredientes ganham as mesmas orientações de preparo. Rendem receitas deliciosas, como nhoques, sopas, purês e saladas. Para o comecinho da introdução, porém, basta cozinhar em água e amassar com um garfo. Pode temperar com uma pitada de sal e regar com um pouco de azeite. E variar é sempre bom porque, embora façam parte do mesmo grupo, cada alimento tem uma composição nutricional única, que só ele pode oferecer.

Métodos de cozimento

COZIMENTO EM ÁGUA: é o ponto de partida para diversos preparos, do purê ao nhoque. O tempo de cozimento varia de acordo com o tipo do corte e a variedade. O ideal é descascar e cortar em pedaços uniformes de cerca de 4 cm para que cozinhem por igual — pedaços menores vão absorver mais água. Transfira os pedaços para uma panela, cubra com água e leve ao fogo alto. Quando ferver, abaixe o fogo para médio e deixe cozinhar por 20 minutos. Esse é o tempo ideal para ficarem no ponto de serem amassados com um garfo, ainda quentes.

ASSADAS: depois de descascadas e pré-cozidas por 6 minutos, as batatas podem ser assadas até ganharem uma casquinha crocante e dourada — nesse caso, só podem ser servidas para quem já mastiga melhor os alimentos, depois do nono mês. Seque bem os pedaços e, para cada quilo, besunte com 4 colheres (sopa) de azeite. Tempere com ervas frescas, como alecrim ou sálvia, que perfumam o preparo. Para garantir o crocante e o tom dourado, o forno deve estar preaquecido a 200 °C (temperatura média) e os pedaços, bem distribuídos na assadeira, sem amontoar. Cerca de 40 minutos são suficientes. A batata-doce e a mandioquinha não precisam ser pré-cozidas. Os pedaços descascados e besuntados com azeite vão ao forno preaquecido a 220 °C (temperatura alta) por 30 minutos.

CEREAIS E TUBÉRCULOS **107**

Purês para a família

BATATA: cozinhe a mais e prepare purês para a refeição da família. No caso da batata, para cada quilo, ou 4 batatas grandes, depois de cozinhar (como sugerido antes) e amassar ou passar pelo espremedor, volte para a panela em fogo médio e junte aos poucos 1 xícara (chá) de leite quente, mexendo bem. Misture 2 colheres (sopa) de manteiga gelada e tempere com ½ colher (chá) de sal e noz-moscada a gosto — o tempero secreto do purê de batata delicioso. Aliás, você pode temperar a papa de batata do bebê com uma pitadinha de nada de noz-moscada.

BATATA-DOCE: também rende um purê delicioso, mas dispensa o leite. Cada 3 batatas médias precisam de 1 xícara (chá) da água do próprio cozimento. Dê o ponto acrescentando a água quente, aos poucos, às batatas amassadas. Tempere com ½ colher (chá) de sal e finalize com 2 colheres (sopa) de azeite.

MANDIOQUINHA: é cremosa por natureza e tem o sabor delicado, nem precisa de leite para o purê ficar saboroso. Para 4 mandioquinhas grandes cozidas e amassadas, junte, aos poucos, 1 xícara (chá) da água do cozimento, mexendo bem até formar um purê cremoso. Tempere com ½ colher (chá) de sal e finalize com 2 colheres (sopa) de manteiga gelada.

E para congelar?

A batata é o mais sensível dos tubérculos e não deve ser congelada crua. Já cozida e amassada, a batata congela superbem em forminhas de gelo, assim como todos os outros tubérculos, o que é ótimo para o planejamento das papinhas. Também pode ser cortada em cubos e pré-cozida, mas, para não ficar com a textura muito aguada, é importante deixar os cubos bem sequinhos antes de congelar.

A batata-doce, a mandioquinha e a mandioca podem ser congeladas cruas, já descascadas e cortadas. Elas vão direto do congelador para a panela com água. Podem ser usadas também para o preparo de purês.

CEREAIS E TUBÉRCULOS **109**

Inhame e cará

Quem não está acostumado a usar inhame vai se surpreender por dois motivos: depois de cozido, ele fica extremamente cremoso. Mas ainda cru, depois de descascado, é superescorregadio! Cuidado para não se cortar. Melhor: antes de fatiar, além de descascar e lavar, é bom secar o ingrediente com um pano de prato limpo. Já o cará não precisa desses cuidados.

Métodos de cozimento

EM ÁGUA: descasque e corte em pedaços uniformes de cerca de 4 cm para cozinhar por igual. Transfira para a panela, cubra com água, leve ao fogo alto e, quando começar a ferver, abaixe o fogo e deixe cozinhar por 25 minutos. Para servir ao bebê, basta amassar os pedaços cozidos ainda quentes com um garfo, até ficar com a consistência de papa. Se necessário, adicione um pouco da água do cozimento. Se quiser, pode temperar com uma pitadinha de sal e regar com um fio de azeite.

REFOGADO: para a família, ou mesmo para o bebê depois dos doze meses, fatie fino o inhame e o cará para refogar diretamente no azeite, sem passar por cozimento prévio. As fatias ficam mais sequinhas e levemente crocantes. Para cada 5 inhames, use 4 colheres (sopa) de azeite, refogue por 5 minutos e deixe cozinhar em fogo baixo, tampado por mais 10 minutos, mexendo de vez em quando até dourar. Ideias de temperos: cúrcuma, semente de coentro, cominho, páprica, canela, gengibre em pó ou uma combinação de especiarias para deixar o inhame bem perfumado.

CEREAIS E TUBÉRCULOS 111

Mandioca

Mandioca costuma azedar fácil, por isso o ideal é comprar fresca. Corte em pedaços menores (de cerca de 8 cm de comprimento), descasque e lave em água corrente para tirar o excesso de terra. Depois, cozinhe apenas o que vai servir e congele o restante.

Métodos de cozimento

COZIDA EM ÁGUA: como a mandioca demora para cozinhar, a melhor opção é usar a panela de pressão. Coloque os pedaços (cerca de 8 cm), cubra com o dobro de água (sem ultrapassar o limite da panela) e leve ao fogo alto. Para os bebês, quanto mais macia, quase desmanchando, melhor. Por isso, deixe cozinhar (na pressão) por 15 minutos, contados depois que a panela começar a apitar. Se quiser depois cortar em palitos para assar, são necessários apenas 5 minutos na pressão.

Na panela convencional, a mandioca leva o triplo do tempo para cozinhar, mas você controla melhor o ponto — que varia muito de acordo com a idade da mandioca. Comece a contar 45 minutos depois que a água iniciar a fervura.

Depois de cozida (seja para cortar em palitos, amassar com o garfo ou fazer purê), é importante retirar e descartar a fibra central dos pedaços.

ASSADA: cozinhe por 5 minutos na pressão, ou 15 minutos na panela convencional, corte em palitos, retire e descarte a fibra central. Para cada quilo de mandioca, use 3 colheres (sopa) de azeite para besuntar. Espalhe bem os pedaços numa assadeira e leve ao forno preaquecido a 220 °C (temperatura alta) por 40 minutos, virando na metade do tempo para ficarem crocantes e sequinhos.

Farinha de mandioca

Crua ou torrada, a farinha vira a farofa clássica, ou um prático viradinho, e transforma o feijão caseiro num tutu saboroso. As farofas são boas opções para um estágio de desenvolvimento mais avançado. Quanto mais úmidas, mais fáceis para o bebê comer.

Para preparar o **tutu de feijão**, refogue ½ cebola e 1 dente de alho em ½ colher (sopa) de azeite, até ficar bem douradinho. Junte 1 xícara (chá) de feijão com o caldo, tempere com ½ colher (chá) de sal e misture com ½ xícara (chá) de água. Acrescente, aos poucos, 3 colheres (sopa) de farinha de mandioca, sem parar de mexer até engrossar — é muito rápido, em 2 minutos o tutu fica pronto; se passar disso pode ressecar.

Milho

Mesmo depois de bem cozido, o milho não fica com consistência de papa. É um dos raros casos em que a orientação é triturar. Em compensação, a espiga de milho cozida é ideal para a fase de nascimento de dentes. Na hora de preparar, dá para debulhar antes ou depois do cozimento, depende da receita. O milho debulhado, pré-cozido e congelado, à venda em mercados, é um grande facilitador. Mas fique de olho na lista de ingredientes! É comida de verdade desde que não tenha aditivos químicos.

Métodos de cozimento

COZIDO: descarte a palha e os cabelos dos milhos. Lave bem as espigas sob água corrente com uma escovinha própria para legumes. Mergulhe as espigas em água fervente e deixe cozinhar por cerca de 30 minutos, até ficarem macias. Se preferir, cozinhe na panela de pressão: cubra as espigas com água sem ultrapassar o limite da panela e leve ao fogo alto. Assim que apitar, abaixe o fogo e deixe cozinhar por 15 minutos.

PARA FICAR COM A CONSISTÊNCIA DE PAPA

Debulhe o milho cozido, apoiando a base da espiga na tábua, e, com uma faca, corte os grãos de cima para baixo. Se preferir, utilize um utensílio próprio chamado extrator de milho. Bata os grãos no processador ou liquidificador e sirva a seguir.

REFOGADO: refogue 1 cebola picada em 2 colheres (sopa) de azeite e junte 2 xícaras (chá) de grãos de milho crus ou já cozidos. O que muda é o tempo de cozimento — se estiver pré-cozido, é só aquecer. Combinam muito bem os sabores de ervas, como salsinha e cebolinha, ou de especiarias, como cominho e páprica. O sal? Sempre em quantidades mínimas. Na forma original, sem bater, o milho só vai para o prato do bebê a partir do nono mês.

Farinhas de milho

FARINHA DE MILHO AMARELA: é usada no preparo de cuscuz paulista, virados e farofas. No preparo do virado, a farinha já deixa a receita na consistência de papa. Pode ter grãos de milho, ou pedaços de legumes maiores, conforme o desenvolvimento da criança (o de chuchu com ovo é nota mil!). Já o cuscuz paulista — seja de legumes, seja de peixe, seja de frango desfiado — é uma boa opção para estimular a mastigação: tem textura para mordida, mas é macio e se desfaz com facilidade na boca.

VIRADINHO DE MILHO

Com o milho refogado, preparar viradinho vai ser moleza: mantenha o fogo baixo e junte à panela ½ maço de salsinha picada. Regue com 2 xícaras (chá) de água e acrescente aos poucos, sem parar de mexer, 1 xícara (chá) de farinha de milho amarela. Está pronto o virado de milho bem úmido e saboroso.

FARINHA DE MILHO FINA: conhecida também por fubá, ou fubá mimoso, é usada para fazer bolo, pão, broa. Mas também rende um bom angu — que, não confundir, é mais mole que a polenta. Para ficar mais saboroso, use o caldo do cozimento de carnes ou aves, em vez de água, para cozinhar.

SÊMOLA DE MILHO OU FUBÁ PARA POLENTA: a farinha de milho moída grosso, também conhecida por fubá italiano ou fubá grosso, serve para preparar a polenta mole, bem cremosa, ótima opção para os primeiros meses da introdução alimentar.

A clássica polenta mole, que fica deliciosa com ragu de carne, é feita em apenas 25 minutos. Leve uma panela com 1 ½ litro de água ao fogo alto para ferver. Tempere com 1 ½ colher (chá) de sal e acrescente 1 ½ xícara (chá) de sêmola em fio constante, sem parar de mexer com um batedor de arame — esse é o segredo para a polenta não empelotar. Abaixe o fogo e mexa por mais 20 minutos, até a polenta soltar do fundo da panela. Finalize com 1 colher (sopa) de manteiga gelada e ⅓ de xícara (chá) de queijo parmesão ralado.

DICA PARA A FAMÍLIA E BEBÊS JÁ COM MASTIGAÇÃO DESENVOLVIDA

Se sobrar polenta mole, espalhe numa assadeira e reserve na geladeira. No dia seguinte, corte em pedaços e doure numa frigideira ou grelha aquecida e untada com azeite. A polenta fica com uma camada tostadinha por fora. Sirva com salada, ovo frito, molho de tomate ou legumes refogados. A polenta pré-cozida ajuda a fazer uma bela refeição em 10 minutos. Mas aproxime a lupa do rótulo, pois algumas marcas contêm sal, óleo e outros aditivos. Na lista de ingredientes, você deve ler apenas farinha de milho (ou fubá) pré-cozido.

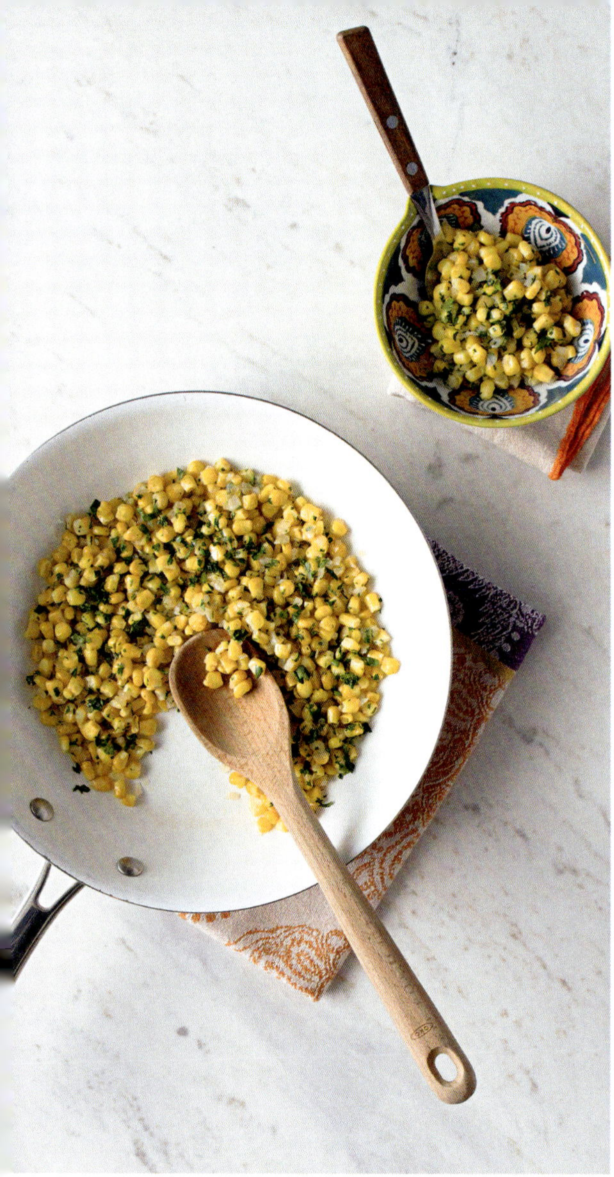
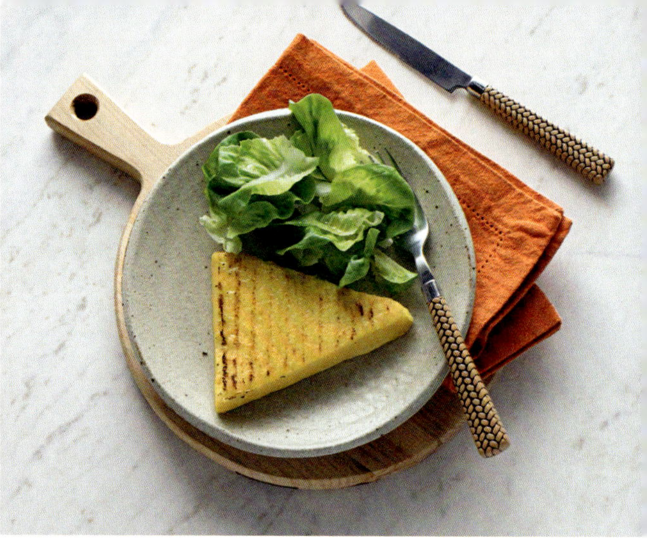
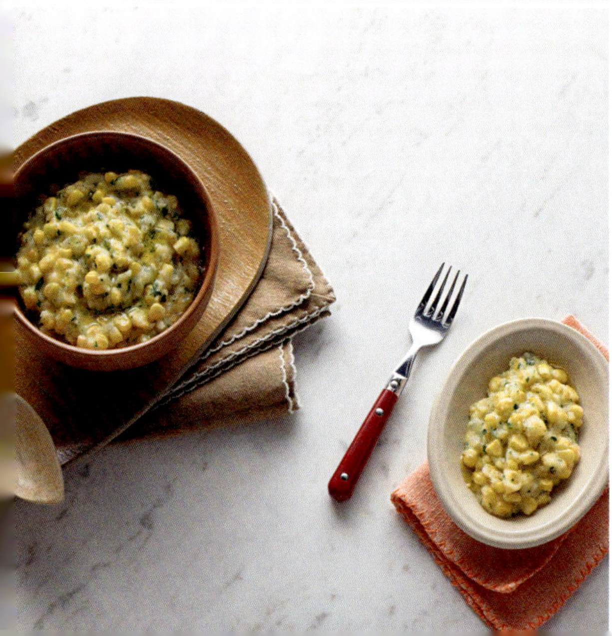
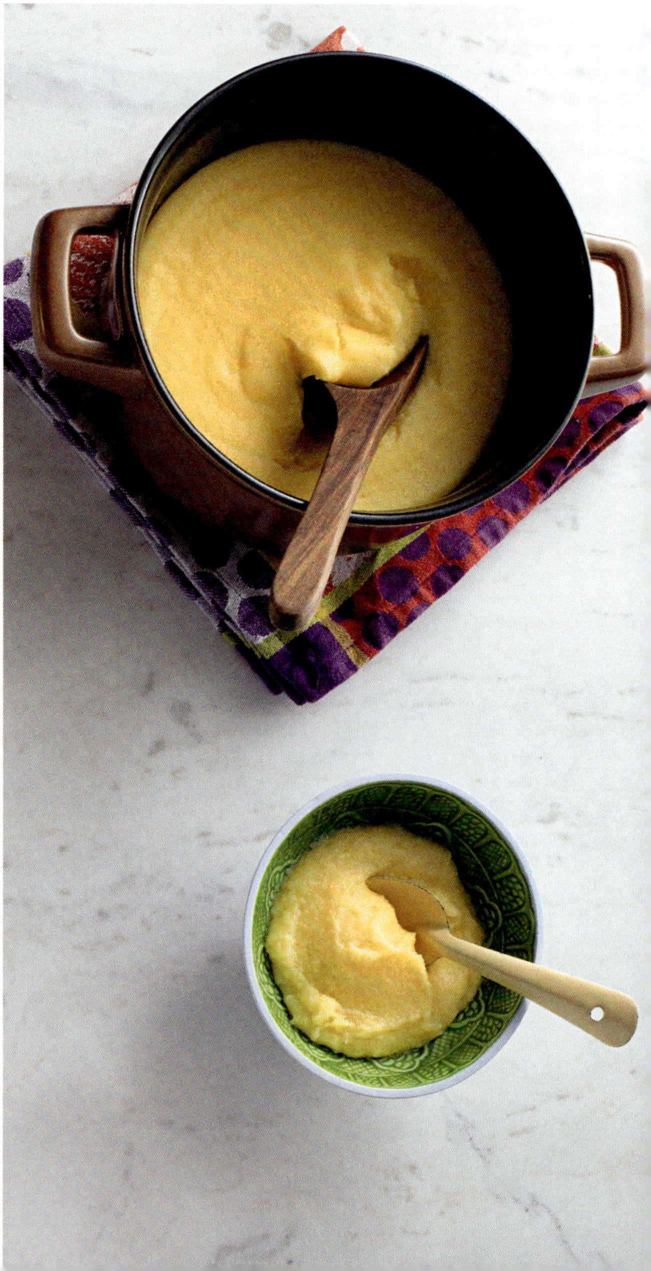

Trigo

MACARRÃO

Os diferentes formatos podem ser oferecidos de acordo com o estágio de desenvolvimento do bebê. Para facilitar a mastigação, vale cozinhar uns minutos a mais. As massas frescas são mais macias. Nhoque (de batata, batata-doce ou mandioquinha) tem a textura ideal.

As massas para sopa — letrinhas, ave-maria e risoni — são perfeitas. Os espaguetes e talharins devem ser oferecidos picados para facilitar a colherada. A massa curta é ótima opção para servir ao bebê que esteja em estágio de desenvolvimento mais avançado — como salada, fria, ele mesmo leva à boca.

CUSCUZ MARROQUINO

A grande vantagem do cuscuz é que ele fica pronto em cinco minutos — basta juntar partes iguais de água e cuscuz, temperar com uma pitadinha de sal e um fio de azeite. Outra qualidade, no caso da introdução alimentar, é a textura, bem macia. Combina com preparos mais caldosos, especialmente com lentilha. Hoje em dia já é encontrado em boa parte das grandes redes de supermercados no Brasil.

PÃES

Podem ser integrais ou não. Mas, para os bebês, dê preferência aos pães de casca fina, mais macios. Para todos da casa, prefira os pães caseiros, ou de padarias artesanais, ou mesmo o pão francês da padaria da esquina. Em geral, os pães comprados a granel costumam ser uma escolha melhor do que os embalados, como o pão de fôrma. Estes, para que durem semanas, recebem muitos conservantes e outros aditivos químicos. Por isso, são ultraprocessados. Leia o rótulo: se tiver ingredientes que não se parecem em nada com aqueles que temos na despensa e na geladeira, socorro!, tire correndo do carrinho de compras.

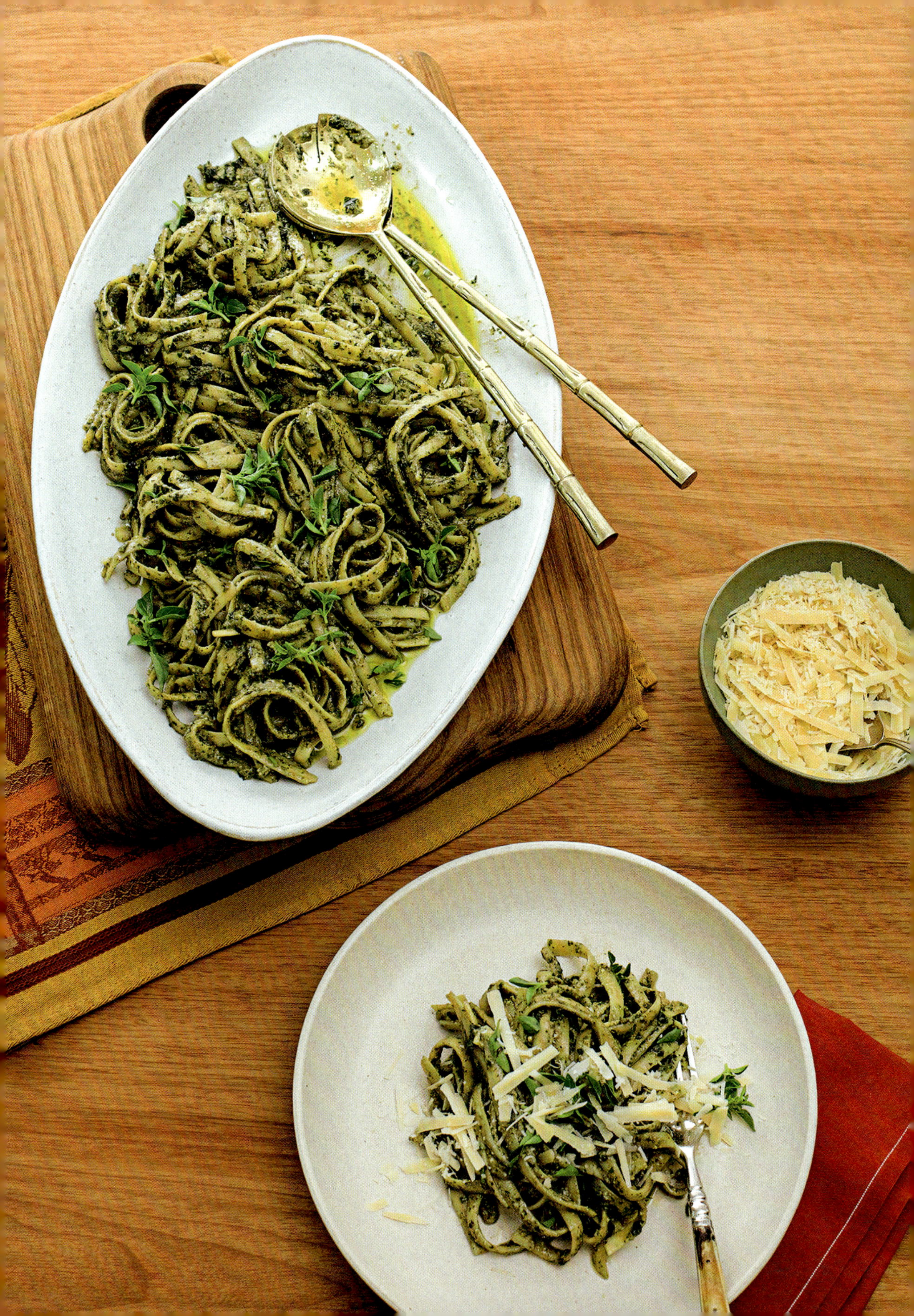

CEREAIS E TUBÉRCULOS

SEM MEDO DE PÃO NEM DE MACARRÃO

Esse seu bebê é mesmo danado! Quando você acha que não há mais nada que ele possa ensinar sobre alimentação, o pequeno tira da cartola uma aula revolucionária. Se você não se lembra da classificação dos alimentos por grau de processamento, talvez valha a pena dar uma espiadinha no primeiro capítulo novamente. O pão e o macarrão industrializados são classificados como alimentos processados porque levam pelo menos dois ingredientes na composição, além do sal. Diferentemente dos ultraprocessados, que contêm aditivos químicos, os processados podem entrar no cardápio, desde que sejam um complemento das refeições — que devem ter como base os alimentos *in natura* e minimamente processados utilizados em preparações culinárias caseiras.

É preciso aprender a diferenciar pães e massas de produtos ultraprocessados. A lasanha feita e temperada na fábrica, a pizza congelada, os sanduíches dos *fast-foods*, o macarrão instantâneo: essas comidas, que nas últimas décadas foram tirando da mesa a comida de verdade, têm que ficar totalmente fora do cardápio de bebês e adultos.

A ideia do sanduíche que substitui a refeição, do refrigerante que substitui a água, da comida pronta que substitui o cozinhar deve ser combatida por vários motivos. O mais evidente é que, com essas substituições, incluímos na alimentação uma série de compostos industriais que simulam o sabor, a textura, a cor e o aroma dos alimentos de verdade, mas não são comida de verdade.

Outro problema é que a lógica dos ultraprocessados distorce o conceito de alimentação saudável e abre espaço na mesa para modismos, como o pão sem glúten ou o queijo sem lactose, sem que haja restrição alimentar necessária.

O problema não é comer glúten, e sim fazer do sanduíche, do macarrão e da pizza a base da alimentação, no lugar do arroz com feijão.

Recapitulando: os alimentos desse grupo são os cereais e os tubérculos. Eles devem responder por 40% do pê-efinho do bebê e precisam deixar espaço para pelo menos um alimento de cada um dos outros grupos. E é isto o que seu bebê vai ensinar para a casa toda: pode comer pão e macarrão — e outros produtos processados—, mas há regras.

No caso de pessoas com necessidades alimentares especiais, o ideal é consultar um nutricionista, que vai indicar a melhor dieta para cada caso.

RECEITA PARA O BEBÊ E PARA A FAMÍLIA

Nhoque de batata

Tradicional, tradicionalíssimo. Macio, é fácil para os bebês mastigarem e comida-conforto para toda a família. Vai mais do que bem com um molho caseiro de tomate rústico com manjericão, que sai a jato. (Tem receitas de molho de tomate para todos os gostos lá no www.panelinha.com.br, quem avisa amigo é.)

SERVE **4 PESSOAS** | PREPARO **1 HORA**

1 KG DE BATATA
2 GEMAS
2/3 DE XÍCARA (CHÁ) DE FARINHA DE TRIGO
SAL
FARINHA DE TRIGO PARA POLVILHAR A BANCADA

1. Lave, descasque e corte as batatas em pedaços grandes. Transfira para uma panela, cubra com água e leve ao fogo alto. Quando ferver, abaixe o fogo e deixe cozinhar por 20 minutos, até ficarem macias — espete com um garfo para verificar.

2. Escorra bem a água da batata e, sobre uma tigela, passe os pedaços ainda quentes pelo espremedor. Tempere com 1½ colher (chá) de sal e deixe amornar o suficiente para conseguir amassar com as mãos.

3. Adicione ¼ de xícara (chá) da farinha de trigo e misture bem — isso ajuda a resfriar as batatas. Junte as gemas e amasse. Misture o restante da farinha aos poucos, até dar o ponto — com as mãos limpas, tente modelar uma bolinha sem que a massa grude nelas. A quantidade de farinha pode variar com o tipo de batata — evite colocar muita, pois a massa absorve farinha na hora de modelar.

4. Para modelar: polvilhe a bancada e uma assadeira com farinha. Na bancada, modele uma porção de massa num rolinho de 1 cm de diâmetro. Com a faca, corte o rolinho a cada 2 cm. Transfira os nhoques para a assadeira e repita com o restante da massa.

5. Leve uma panela média com água ao fogo alto. Unte um refratário grande com óleo. Assim que a água ferver, adicione ½ colher (sopa) de sal.

6. Com a escumadeira, mergulhe 15 nhoques por vez na água fervente e deixe cozinhar até subirem à superfície. Retire os nhoques, escorrendo bem a água, e transfira para o refratário. Sirva a seguir com o molho de sua preferência.

PODE CONGELAR!

Distribua os nhoques ainda crus numa assadeira e leve ao congelador. Assim que endurecerem, transfira para um saco plástico e mantenha congelados por até três meses (anote a data). Na hora de usar, eles vão direto para a panela: basta mergulhá-los em água fervente com sal.

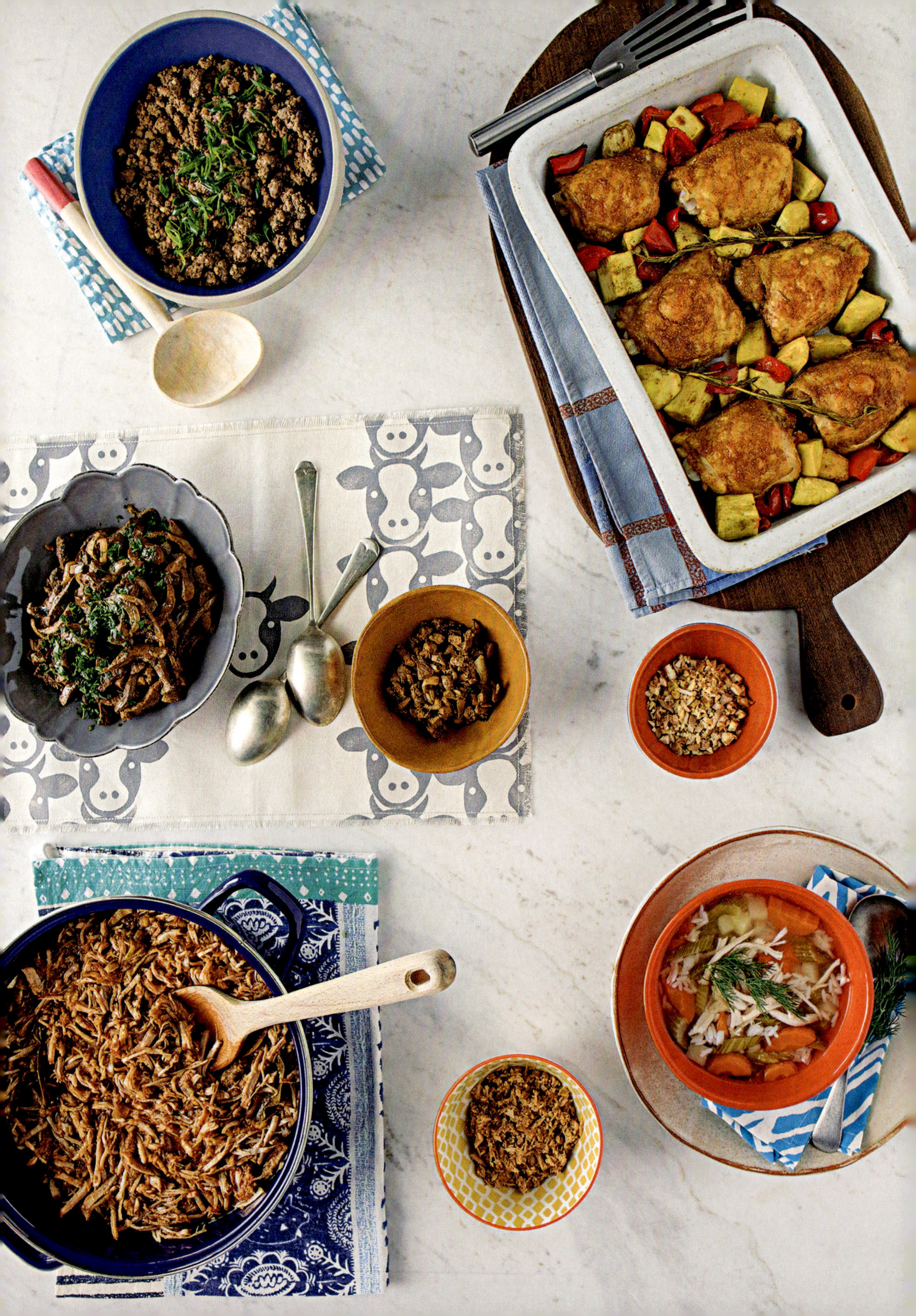

CARNES E OVOS

Muito além da carne moída

O GRUPO É DAS PROTEÍNAS. VALE OFERECER AO BEBÊ A CARNE BOVINA E A DE FRANGO, CLARO, MAS CARNE SUÍNA E PEIXES TAMBÉM. VALE ATÉ FRUTOS DO MAR E OVO. SABE O QUE NÃO VALE? COMIDA CRUA, MUITO SALGADA, PROCESSADA OU SEM GRAÇA. SÓ ISSO? SÓ ISSO. ENTÃO, VAMOS DESCOMPLICAR O PREPARO DA CARNE E APROVEITAR QUE O OVO SALVA QUALQUER REFEIÇÃO DE ÚLTIMA HORA PARA DEIXAR A MESA MAIS SABOROSA E A ROTINA NA COZINHA, MAIS ESPERTA. DEIXE A INSEGURANÇA E OS MITOS DE LADO, PORQUE ESTE CAPÍTULO É LIBERTADOR.

Na primeira fase da introdução alimentar, a preparação de alimentos de alguns grupos é mais específica do que a de outros. Isso não acontece no grupo de carnes e ovos. Na maioria dos casos, o bebê e a família vão poder saborear o mesmo preparo. Mas há algumas condições: o sal tem medida certa, e tudo deve ser bem cozido e desfiado (ou picadinho). De resto, o cardápio pode ser espichado, porque vai ter espaço para todos os tipos de carne, inclusive frutos do mar, além do ovo. **Não é libertador?**

Só ficam de fora as carnes processadas — como bacon, carne-seca, costelinha defumada — e as ultraprocessadas — filés de frango ou de peixe que já vêm empanados, hambúrgueres temperados na fábrica, salsichas etc.

No mais, vale lembrar que o preparo deve ser cuidadoso e a procedência, observada. O período da introdução à alimentação complementar é considerado de risco elevado de contaminação, por causa da manipulação ou do preparo inadequado dos alimentos. Devido à imaturidade imunológica dos bebês, a diarreia é uma das consequências.

Como você já leu aqui, o vegetarianismo é possível, mas a recomendação é que a dieta seja monitorada, uma vez que exclui um grupo alimentar importante para os bebês. As carnes trazem proteína, essencial para a formação dos tecidos, e também contribuem para o aporte de ferro e zinco, relacionados ao crescimento, e da vitamina B12, que tem a ver com o desenvolvimento neurológico.

Pouco sal, mas muito sabor

O segredo das carnes saborosas (mesmo com sal moderado) são os ingredientes aromáticos. Cebola, alho, cominho, coentro em pó, páprica, semente de erva-doce, cúrcuma, hortelã, manjericão, tomilho, salsinha, cebolinha e orégano, entre outros, são opções para dar sabor aos preparos. Não deixe o azeite de lado, pois ele também é um ingrediente culinário excelente.

Os saborosos caldos caseiros — caseiros de verdade, feitos em casa — têm lugar na introdução alimentar, mas como complemento da receita apenas, e não como substitutos da proteína. Eles também são ótimos para ajudar a atingir a consistência de papa.

Carne do dia

Com esta tabela de tempo de cozimento fica mais fácil escolher o preparo da vez. Se você sabe que vai ter algum tempo disponível, invista num prato de cozimento longo, como um belo ensopado. Se precisa resolver a refeição em 30 minutos, carne moída.

TIPO	COZIMENTO CURTO	COZIMENTO LONGO
Carne bovina	Filé-mignon (em bife, tiras ou cubinhos), carne moída (patinho, coxão mole), fígado	Músculo, acém, peito, coxão duro, coxão mole, lagarto, ossobuco, rabada, costela
Porco	Lombo (em bife, escalope, cubos), bisteca	Pernil, paleta, costelinha, lombo em peça
Frango	Peito de frango (em filé, bife, paillard ou cubos), fígado	Frango inteiro, coxa, sobrecoxa, peito inteiro com osso, moela
Peixe	Filé de pescada, salmão e robalo (em tranches ou postas)	Peixes inteiros, em metades, cação em postas

Carne bovina

Ao preparar qualquer receita com carne, lembre-se desta regra: ela não pode estar gelada na hora de ir para a panela – apenas 20 minutos em temperatura ambiente são suficientes. O motivo é que, em vez de selar e dourar, a carne vai soltar os próprios líquidos e cozinhar no seu vapor; o resultado é uma carne dura e menos saborosa.

Carne moída

Um excelente ponto de partida é a carne moída, porque cozinha rapidinho e é muito versátil: basta refogar com cebola e alho para virar o prato principal ou acrescentar tomate pelado para preparar um ragu rápido, bem molhadinho. O patinho é o corte mais comum para moer, pois tem o percentual de gordura mais baixo e é saboroso.

Leve uma frigideira grande ao fogo médio. Quando aquecer, regue com 1 colher (sopa) de azeite, junte 1 cebola picada e refogue por cerca de 10 minutos, até dourar. Junte 2 dentes de alho picados e misture bem. Regue com mais 2 colheres (sopa) de azeite e adicione 500 g de carne moída. Tempere com 1 colher (chá) de sal e deixe cozinhar por cerca de 10 minutos, mexendo de vez em quando, para soltar os pedaços e refogar por igual. Regue aos poucos com ½ xícara (chá) de água quente, raspando bem o fundo da frigideira para dissolver os queimadinhos e umedecer o preparo. Finalize com cebolinha fatiada e sirva a seguir.

Quer transformar o refogado num ragu rápido? No lugar da água, junte 1 lata de tomate pelado em cubos, 2 ramos de manjericão e tempere com mais 1 colher (chá) de sal. Deixe cozinhar por mais 5 minutos até o molho encorpar. Sirva a seguir. Fica uma delícia como acompanhamento da polenta (receita na página 116).

CARNES E OVOS **129**

Músculo

Outro clássico da introdução alimentar, o músculo é uma carne de cozimento longo. Diferentemente da carne moída, para preparar músculo não basta só refogar. Ele precisa de um líquido para cozinhar, até que fique bem macio, no ponto para desfiar, que é como deve ser servido ao bebê. O atalho, nesse caso, é usar a panela de pressão. A seguir, tem receita!

Filé-mignon

É uma carne cara, porém dificilmente você vai conseguir fazer um bife tão macio com outro corte. É que, além do cozimento rápido, ela não tem nervos nem gordura que possam dificultar a mastigação. O preparo também exige menos ingredientes: azeite e sal já dão conta do recado. Sirva bifes para a família, e o menorzinho deles vai ser picadinho para o bebê. Nesse caso, opte por bifes mais finos ou cortados em tirinhas, que atingem o ponto ideal de cozimento ainda mais rápido. Deixe o medalhão, o rosbife ou a *entrecôte* rosada para os pais.

Miúdos

Por serem riquíssimos em ferro, importante para os bebês nessa faixa etária, os miúdos devem ser oferecidos ao menos uma vez por semana, segundo o Ministério da Saúde. Uma opção clássica é o fígado de boi acebolado, servido com bastante salsinha. É delicioso, supermacio e fica pronto a jato. A família toda pode se deliciar.

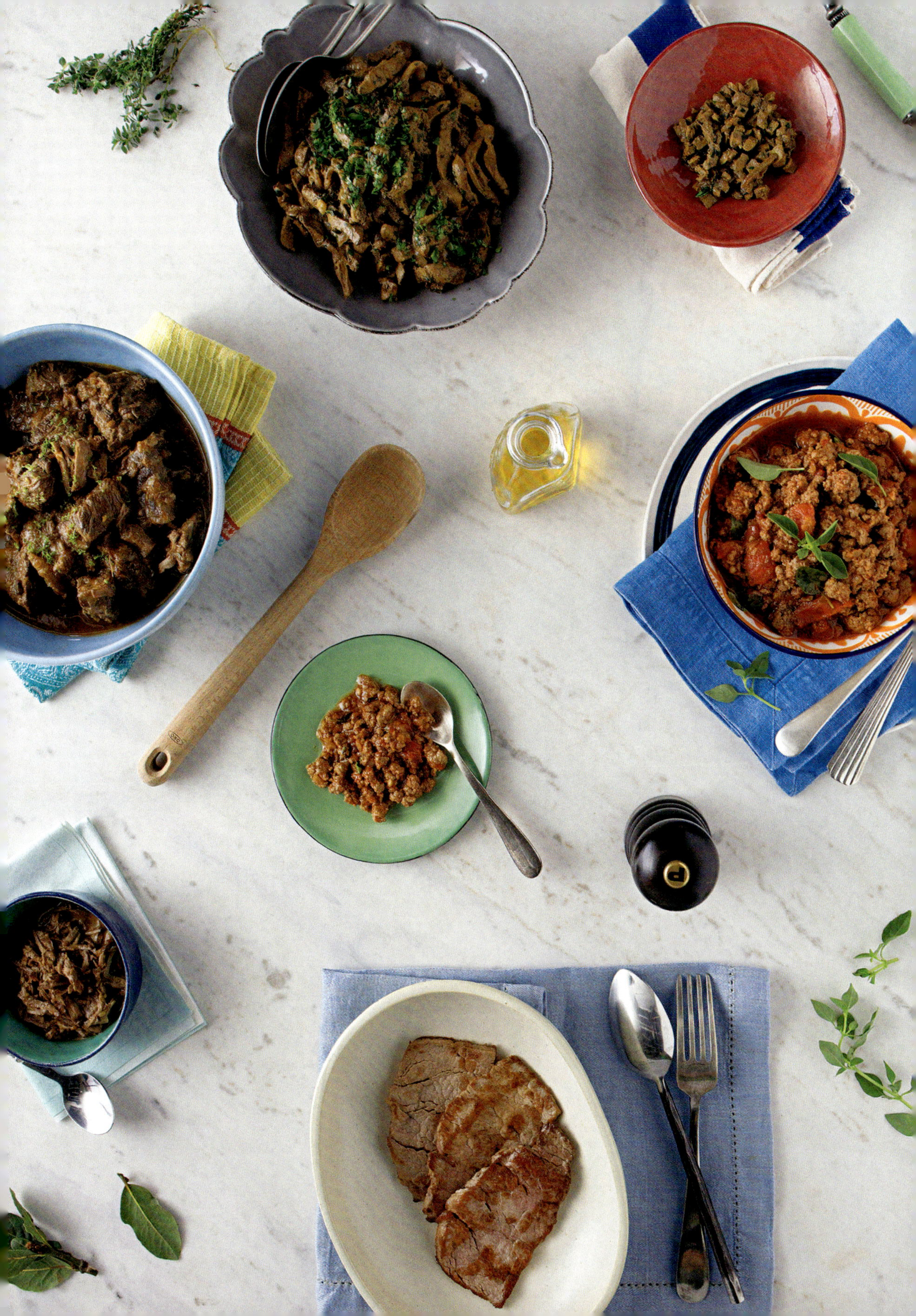

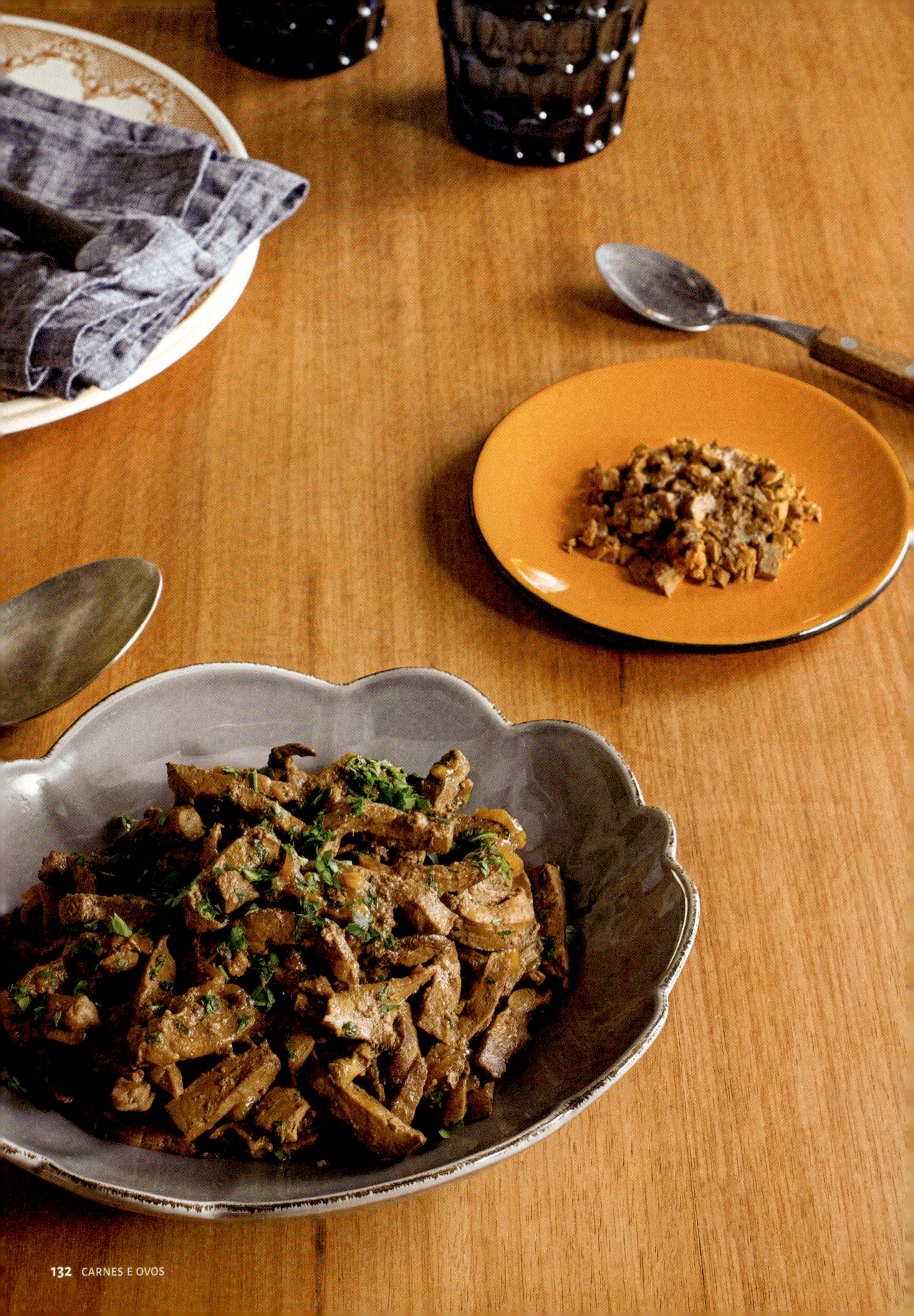

RECEITA PARA O BEBÊ E PARA A FAMÍLIA

Fígado acebolado

Preparada no ponto certo, a carne que é praticamente obrigatória na introdução alimentar fica deliciosa — e a cebola, o limão e a salsinha contribuem demais para isso! Não deixe de provar.

SERVE **4 PORÇÕES** | PREPARO **30 MINUTOS**

500 G DE FÍGADO BOVINO
1 CEBOLA
CALDO DE ½ LIMÃO
1 COLHER (SOPA) DE ÁGUA

3 COLHERES (SOPA) DE AZEITE
2 COLHERES (CHÁ) DE SAL
3 RAMOS DE SALSINHA

1. Lave, seque e pique grosseiramente a salsinha. Descasque e corte a cebola em meias-luas finas.

2. Lave o fígado sob água corrente e seque bem com um pano de prato limpo (ou papel-toalha). Com uma faca pequena e afiada, corte e descarte as veias e nervos. Corte o fígado em tirinhas de 1 cm × 6 cm.

3. Leve uma frigideira grande ao fogo médio para aquecer. Regue com 1 colher (sopa) de azeite, acrescente a cebola e refogue por cerca de 10 minutos, até dourar. Transfira para uma tigela e mantenha a frigideira em fogo médio.

4. Regue com mais 1 colher (sopa) de azeite e adicione metade do fígado. Deixe dourar por cerca de 5 minutos, mexendo de vez em quando — é jogo rápido; se o fígado cozinhar demais, pode ficar duro. Transfira as tiras douradas para a tigela com a cebola, regue a frigideira com o azeite restante e repita com a outra metade da carne.

5. Volte a cebola com o fígado para a frigideira e tempere com o sal. Regue com a água, o caldo de limão e raspe bem os queimadinhos do fundo da panela para formar um molho ralo. Desligue o fogo, misture a salsinha e sirva a seguir.

RECEITA PARA O BEBÊ E PARA A FAMÍLIA

Ensopado de músculo com limão

Não se surpreenda se esse preparo aparecer semanalmente no cardápio de casa. É prático, acessível e delicioso! E mais: vai para o prato do bebê e da família sem adaptações.

SERVE 4 PESSOAS | **PREPARO 1H30MIN**

- 1 KG DE MÚSCULO
- 2 TOMATES
- 1 CEBOLA
- 2 DENTES DE ALHO
- 2 XÍCARAS (CHÁ) DE ÁGUA
- CALDO E RASPAS DE 1 LIMÃO
- ½ COLHER (SOPA) DE MANTEIGA
- 2 COLHERES (CHÁ) DE SAL
- 2 RAMOS DE TOMILHO FRESCO
- ½ COLHER (SOPA) DE FARINHA

1. Corte o músculo em cubos de 4 cm; descarte os excessos de gordura. Descasque e pique fino a cebola e o alho. Lave, descasque e corte os tomates ao meio; descarte as sementes e corte as metades em cubinhos. Leve uma chaleira com a água ao fogo baixo para aquecer.

2. Leve a panela de pressão, sem a tampa, ao fogo médio para aquecer. Enquanto isso, tempere a carne com 1 colher (chá) de sal. Regue a panela com 1 colher (sopa) de azeite e acrescente metade dos cubos de músculo — se colocar tudo de uma só vez, a carne vai cozinhar no vapor. Deixe dourar bem, por 5 minutos, mexendo de vez em quando. Transfira para uma travessa, regue a panela com mais azeite e repita com o restante da carne.

3. Mantenha a panela em fogo médio, regue com mais ½ colher (sopa) de azeite, acrescente a cebola e refogue até murchar. Junte o tomate, o alho, o tomilho e refogue por mais 3 minutos, para formar uma pastinha.

4. Volte a carne dourada para a panela e misture bem. Regue com a água quente, aos poucos, raspando bem o fundo da panela com a espátula para dissolver os queimadinhos — eles são essenciais para dar sabor ao molho.

5. Junte o caldo de limão e tempere com 1 colher (chá) de sal. Tampe a panela e aumente o fogo. Quando começar a apitar, abaixe o fogo e deixe cozinhar por 30 minutos.

6. Desligue o fogo e atenção: deixe todo o vapor sair antes de abrir a tampa. Enquanto isso, leve uma frigideira com a manteiga ao fogo médio. Junte a farinha e mexa bem até ficar dourada — a farinha ajuda a engrossar o molho.

7. Adicione uma concha do caldo do ensopado à frigideira e misture com o batedor de arame para dissolver os gruminhos de farinha. Junte essa mistura ao ensopado e volte a panela (sem a tampa) ao fogo alto. Deixe cozinhar por mais 5 minutos, mexendo de vez em quando, até o molho encorpar. Misture as raspas de limão e sirva a seguir.

Porco

Viva, carne de porco liberada! Ela tem ótima densidade de proteína, ferro e vitaminas. Mas vamos evitar as carnes salgadas e processadas: bacon, linguiça e costelinha defumada ficam de fora para o bebê, certo? Já pernil, paleta, lombo e filé-mignon suíno são ótimas escolhas.

Escalopinho

O lombo de porco cortado em escalopes bem fininhos é um preparo pá-pum para o dia a dia. Fica macio e chega ao ponto rápido, sem ressecar. Aqueça a frigideira em fogo médio, tempere os escalopes com sal e fixe uma folha de sálvia em cada um — nem precisa de palito, a folha fica presa pela umidade da carne. Regue a frigideira com ½ colher (sopa) de azeite, junte quantos escalopes couberem, um ao lado do outro, e deixe dourar por 2 minutos de cada lado. Para servir ao bebê, basta cortar em pedaços pequenos.

Pernil

Cozido na pressão, o pernil fica úmido, macio, quase desmanchando, e ainda ganha um molho saboroso. Dê preferência para o corte com osso — ele dá sabor extra ao preparo. Antes de preparar, retire o excesso de gordura para servir tanto para a família como para o bebê. Na receita a seguir você verá como fazer isso.

CARNES E OVOS 137

CARNES E OVOS

RECEITA PARA O BEBÊ E PARA A FAMÍLIA

Pernil desfiado na pressão

Erva-doce, páprica e coentro em pó dão sabor extra ao pernil, que cozinha na pressão e sai de lá com molho e tudo — se for ocasião especial em casa, pode apostar que essa receita vai fazer o maior sucesso.

SERVE **6 PORÇÕES** | PREPARO **1H40MIN**

1 KG DE PERNIL SUÍNO EM PEÇA (SEM OSSO)
2 CEBOLAS EM MEIAS-LUAS GROSSAS
1 PIMENTÃO AMARELO CORTADO EM TIRAS GROSSAS
3 DENTES DE ALHO PICADOS FINO
1½ XÍCARA (CHÁ) DE ÁGUA
3 COLHERES (SOPA) DE AZEITE
1½ COLHER (CHÁ) DE SEMENTES DE ERVA-DOCE
2 COLHERES (CHÁ) DE PÁPRICA
1½ COLHER (CHÁ) DE COENTRO EM PÓ
2 FOLHAS DE LOURO
3 COLHERES (CHÁ) DE SAL

1. Corte o pernil em pedaços grandes de 8 cm e descarte o excesso de gordura. Transfira para uma travessa e tempere com 2 colheres (chá) de sal, a páprica e o coentro — esfregue bem o tempero em todos os pedaços.

2. Leve a panela de pressão (sem a tampa) ao fogo médio para aquecer. Regue com 1 colher (sopa) de azeite e doure os pedaços de pernil em duas etapas, sem amontoar. Deixe dourar bem por 3 minutos de cada lado, transfira para uma travessa e repita com o restante, regando a panela com 1 colher (sopa) de azeite.

3. Mantenha a panela em fogo médio e regue com mais 1 colher (sopa) de azeite. Adicione a cebola e o pimentão, tempere com o restante do sal e refogue até murchar. Junte o alho, a erva-doce e as folhas de louro e mexa por 1 minuto, para perfumar.

4. Regue com a água aos poucos, raspando bem o fundo da panela com a espátula para soltar os queimadinhos — eles dão sabor ao molho. Volte os pedaços de pernil à panela, feche a tampa e aumente o fogo. Assim que começar a apitar, abaixe o fogo e deixe cozinhar por 40 minutos.

5. Desligue o fogo e atenção: deixe todo o vapor sair antes de abrir a tampa. Transfira o pernil para uma travessa e desfie a carne com dois garfos. Regue com o molho e sirva a seguir.

Frango

O frango é a proteína mais consumida no Brasil — é mais acessível que a carne vermelha e, em termos culinários, é bem versátil. Pode ser grelhado, cozido ou assado, além de ser a base para um caldo delicioso.

Peito de frango

O peito de frango é o corte mais versátil da ave. Grelhado, fica pronto rapidinho: aqueça a frigideira em fogo médio, regue com ½ colher (sopa) de azeite, tempere apenas um lado com uma pitadinha de sal e deixe dourar por 2 minutos de cada lado. Para o bebê, sirva bem picadinho; para a família, invista em outros temperos: pimenta-do-reino, páprica picante, curry. Ou prepare uma marinada, antes de grelhar.

O peito com osso e pele rende um bom caldo, e a carne pode ser desfiada para servir ao bebê: numa panela com 2 litros de água, coloque 2 cenouras cortadas em meias-luas grossas, 2 talos de salsão em fatias grossas (com as folhas) e 1 cebola cortada ao meio e cravejada (espete 1 folha de louro com 2 cravos-da-índia). Deixe cozinhar em fogo baixo por 40 minutos, contados depois que ferver. Para transformar o caldo de frango numa **canja**, descarte a cebola cravejada, desfie metade do peito de frango (sem a pele e o osso), leve de volta ao caldo, junte 1 xícara (chá) de arroz, 1 batata descascada, cortada em cubinhos, 2 colheres (chá) de sal e deixe cozinhar por mais 20 minutos.

Coxa e sobrecoxa

São cortes bons para assar. Basta temperar o frango e levar ao forno — trabalho quase zero. A carne fica úmida e macia. Numa fornada você resolve a refeição da família toda. Para o bebê, basta desfiar a carne, descartando osso e pele. A seguir, uma receita que vai servir de base para você aprender a técnica. Depois é só variar os temperos e os legumes da assadeira.

CARNES E OVOS 141

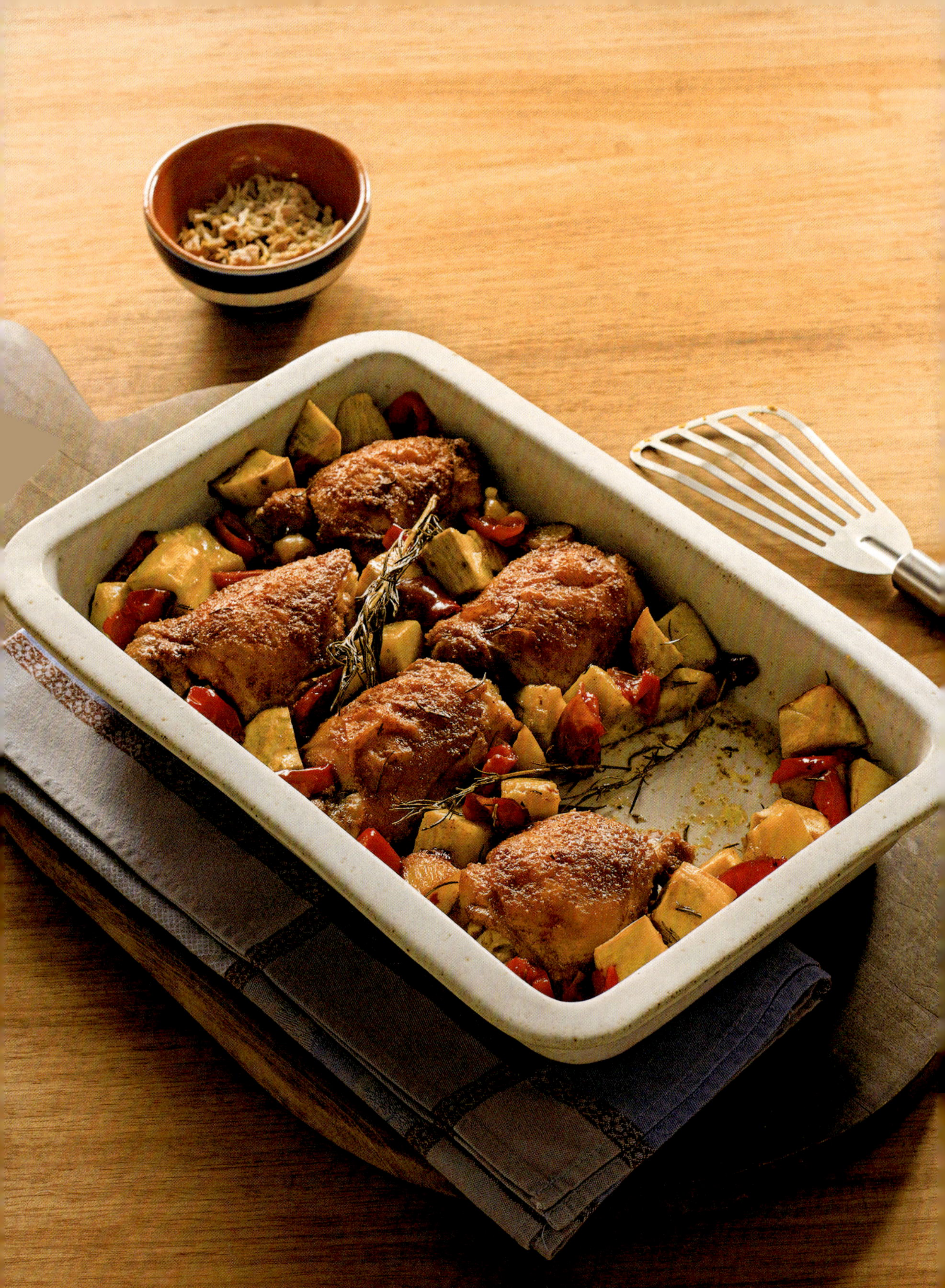

RECEITA PARA O BEBÊ E PARA A FAMÍLIA

Sobrecoxa assada com batata-doce e pimentão

Existe receita de uma panela só, e existe receita de uma assadeira só, caso desta, que resolve em uma só tacada os preparos de três grupos alimentares, o das carnes, dos tubérculos e dos legumes. Cominho, cúrcuma e alecrim dão sabor e personalidade ao prato.

SERVE 6 PORÇÕES | PREPARO **1H20MIN**

- 6 SOBRECOXAS DE FRANGO COM A PELE
- 2 BATATAS-DOCES
- 1 PIMENTÃO VERMELHO GRANDE
- 6 DENTES DE ALHO GRANDES
- 5 COLHERES (SOPA) DE AZEITE
- 3 COLHERES (CHÁ) DE COMINHO
- 1 COLHER (CHÁ) DE CÚRCUMA
- 3 COLHERES (CHÁ) DE SAL
- 5 RAMOS DE ALECRIM

1. Preaqueça o forno a 230 °C (temperatura alta).

2. Prepare o tempero do frango: numa tigela grande misture 3 colheres (sopa) do azeite com o cominho, a cúrcuma e 2 colheres (chá) do sal. Junte as sobrecoxas e, com as mãos, espalhe bem o tempero sob e sobre a pele de cada pedaço. Deixe marinando em temperatura ambiente enquanto prepara os outros ingredientes.

3. Descasque e corte as batatas-doces em pedaços médios de 3 cm. Corte o pimentão ao meio, no sentido do comprimento, descarte as sementes e corte cada metade em quadrados de 3 cm. Descasque e mantenha os dentes de alho inteiros. Lave e seque os ramos de alecrim.

4. Numa assadeira grande, coloque os pedaços de batata-doce e de pimentão, os dentes de alho e os ramos de alecrim. Tempere com o restante do sal e do azeite e misture bem para envolver todos os pedaços. Abra 6 espaços na assadeira e disponha as sobrecoxas com a pele para cima.

5. Leve ao forno para assar por 20 minutos, até a pele começar a dourar. Diminua a temperatura do forno para 180 °C (temperatura média) e deixe por mais 30 minutos para o frango terminar de assar e a pele ficar bem dourada. Sirva a seguir com a batata-doce e o pimentão.

Peixe

Pode qualquer um, de rio ou de mar. Mas vale uma atenção especial: escolha as opções com menos espinhas, ou com espinhas que sejam grandes e fáceis o bastante de tirar antes de preparar. Mesmo assim, sempre confira antes de servir. Boas pedidas: filé de pescada, saint-peter (ou tilápia), linguado, posta de salmão, robalo ou cação. Esses são os peixes mais comuns de comprar e preparar, mas dê preferência aos da região em que você mora, além de considerar a sazonalidade.

Filé de peixe

Os filés de pescada, linguado e *saint-peter* (ou tilápia) são fininhos e ficam prontos num minuto. Mas tem truque para não deixar o peixe grudar na frigideira. Tempere os filés com caldo de limão e sal. Passe cada um pela farinha de trigo para fazer um empanado finíssimo, que tem a função de impedir que o peixe desmanche enquanto cozinha. Leve uma frigideira ao fogo médio para aquecer, regue com óleo, o suficiente apenas para cobrir o fundo, acrescente os filés um ao lado do outro e deixe dourar por 3 minutos de cada lado. Transfira os filés para um prato forrado com papel-toalha para absorver o excesso de óleo. Sirva os filés inteiros para a família e desfiados para o bebê.

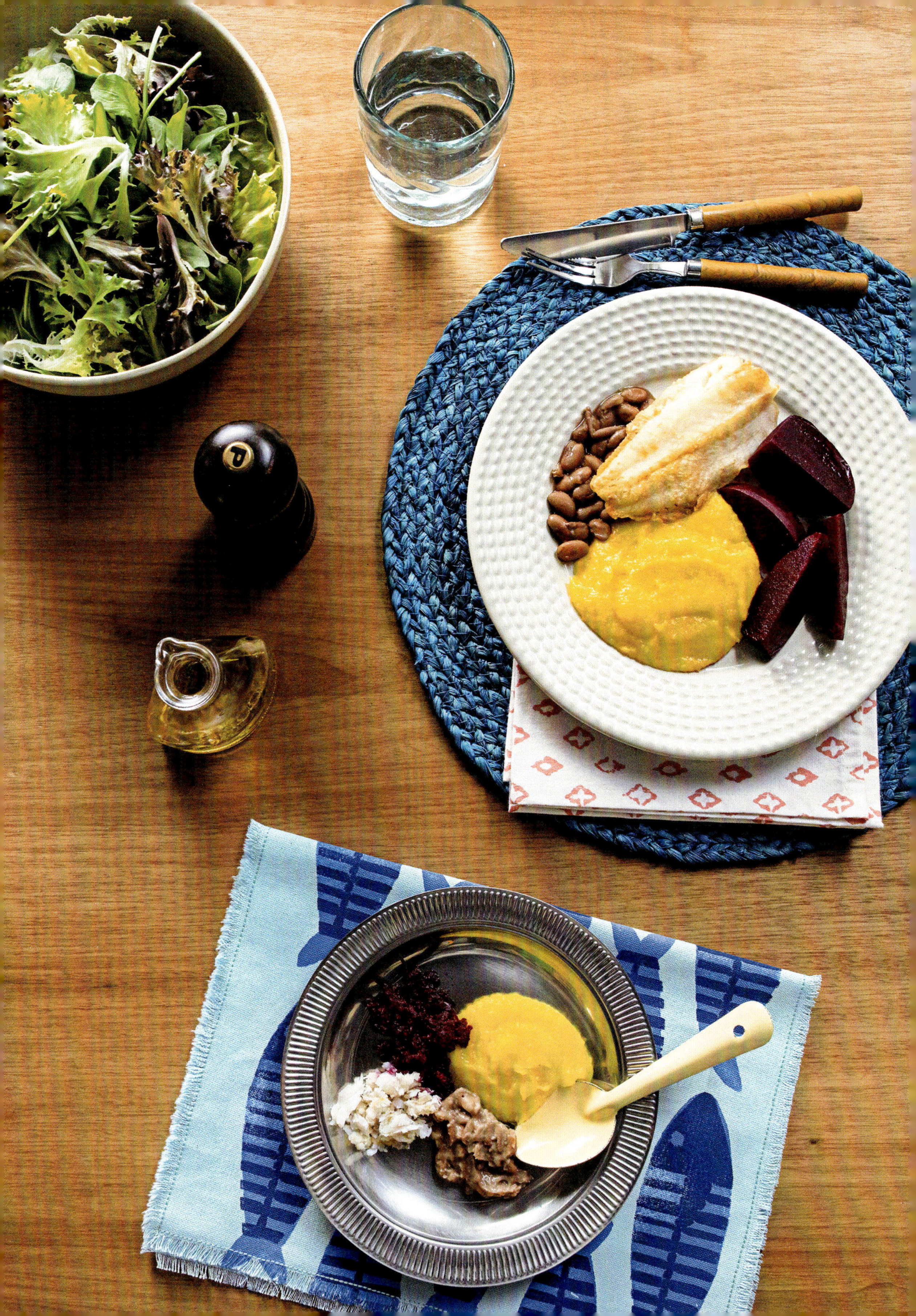

Cação

Por ter a carne mais firme e não ter espinhas, o cação é uma ótima escolha. O peixe cozido fica bem macio, sem desmanchar. Para o preparo ficar tinindo de bom, a dica é deixar a água do cozimento cheia de sabor: tempere com sal, regue com azeite, junte ingredientes como tomate, alho-poró, cebola e alho; ervas como louro ou manjericão, e especiarias também — vale canela em rama, cravo-da-índia e grãos de pimenta. Mergulhe as postas nesse caldo fervente e deixe cozinhar em fogo baixo por 5 minutos. A mesma técnica vale para preparos mais elaborados, como moqueca ou tagine. Sirva com o caldo do cozimento para a família e desfie o peixe para o bebê.

Robalo

As postas de robalo são mais altas, por isso ficam superúmidas e podem ser facilmente desfiadas para o bebê quando cozidas no vapor — você prepara o jantar da família toda sem sujar o fogão nem acender o forno. A única exigência do preparo é ter o utensílio certo, que é o cesto de cozimento a vapor. Tempere o peixe com sal, coloque as postas no cesto e encaixe-o sobre uma panela com água fervente — o líquido não deve encostar no peixe. Tampe e deixe cozinhar por, no máximo, 10 minutos (o tempo pode variar de acordo com o tamanho das postas). Você pode juntar no cestinho alguns legumes e verduras de cozimento rápido para servir como acompanhamento. Vale acelga chinesa, floretes pequenos de brócolis, berinjela, vagem.

Salmão

A melhor forma de preparar salmão é no papillote. Por ser um peixe de sabor e aroma bem característicos, não precisa de muitos ingredientes ou técnica elaborada para render um prato gostoso. Além disso, o papillote é rápido e prático porque não deixa cheiro na casa nem suja a assadeira. Fica ainda mais prático se você aproveitar para incluir no pacotinho legumes e verduras de cozimento rápido, como abobrinha, tomate, cenoura ralada, ervilha-torta, espinafre, acelga. O peixe no papillote sai do forno e vira refeição para a família inteira. Mas mantenha o olho no relógio: se você escapar da cozinha por mais de 15 minutos, ele pode ficar ressecado.

RECEITA PARA O BEBÊ E PARA A FAMÍLIA

Papillote de salmão com espinafre e tomate

Depois que a gente aprende a preparar peixe no papillote, fica bobo de ver como é fácil, prático e rápido — e não deixa cheiro na casa. Para variar, vá de cenoura ralada, cebola cortada em meia-lua, chuchu em cubinhos pequenos, erva-doce ou pimentão fatiado fininho, além de ervas frescas, limão...

SERVE **4 PESSOAS** | PREPARO **25 MINUTOS**

4 POSTAS DE SALMÃO COM A PELE, SEM ESPINHAS (200 G CADA)
1 MAÇO DE ESPINAFRE
1 XÍCARA (CHÁ) DE TOMATES CEREJA
¼ DE XÍCARA (CHÁ) DE ÁGUA
½ COLHER (CHÁ) DE SAL
AZEITE A GOSTO

1. Preaqueça o forno a 180 °C (temperatura média).

2. Destaque as folhas dos talos e lave bem o espinafre sob água corrente, transfira para o escorredor e deixe ali por alguns minutinhos. Lave, seque e corte os tomates ao meio. Corte 4 pedaços de papel-alumínio de 50 cm de comprimento.

3. Para montar os papillotes: coloque um pedaço de papel-alumínio sobre um prato fundo, com a parte brilhante para cima. Regue com 1 colher (chá) de azeite, disponha a posta de salmão no centro, junte ao lado as folhas de espinafre e os tomates, e tempere com uma pitadinha do sal. Regue com mais 1 colher (chá) de azeite e 1 colher (sopa) da água.

4. Levante as extremidades do papel-alumínio e vá fechando as pontas, dobrando uma margem sobre a outra, para formar uma trouxinha bem vedada — assim os líquidos e o vapor não escapam. Ela deve ficar folgada para o vapor circular e cozinhar tudo por igual. Transfira para uma assadeira grande e repita para montar mais 3 papillotes.

5. Leve ao forno preaquecido e deixe assar por 10 minutos — esse é o tempo ideal para o peixe cozinhar e ainda ficar úmido. Enquanto isso, aproveite para preparar o molho de shoyu e gengibre, que não vale para os bebês, mas complementa os sabores para o prato da família.

6. Na hora de servir, abra os papillotes com cuidado para não se queimar com o vapor superquente. Sirva o salmão com o espinafre, os tomates e o caldinho que se formou na trouxinha. Para o bebê, pique bem fininho o espinafre, amasse os tomates e desfie o salmão.

MOLHO DE SHOYU E GENGIBRE

¼ DE XÍCARA (CHÁ) DE SHOYU
2 COLHERES (SOPA) DE MEL
1 COLHER (SOPA) DE VINAGRE DE ARROZ
½ COLHER (CHÁ) DE GENGIBRE RALADO

Coloque todos os ingredientes num pote pequeno, tampe e chacoalhe bastante para misturar.

Ovos

O bebê chorou de fome e o seu planejamento deu uma tropeçada naquele dia? Então, é provável que você escolha o ovo dentre todas as opções desse grupo alimentar. Pode ir em frente: é uma ótima fonte de proteínas e vitaminas e rende pratos saborosos a jato!

Preparar ovos não requer grandes investidas de tempero e os métodos de cozimento são simples. Além disso, cada unidade é uma porção perfeita — pode ser que o bebê não dê conta de comer tudo, mas deixe que ele decida. Nada de dividir a gema nem de evitar a clara, tá?

Para descartar o risco de contaminação por salmonela, que fica na casca do ovo, alguns cuidados devem ser tomados:

- Somente na hora de usar os ovos, seja qual for o método de preparo, lave a casca sob água corrente. Não lave para guardar, apenas antes do uso.
- Guarde os ovos nas prateleiras (e não na porta) da geladeira assim que chegar em casa. Quanto menos oscilação de temperatura, melhor.
- Bebês não podem comer ovos crus. Mas se você gosta de gemada, por exemplo, vai a dica: não use a casca para separar a clara da gema quando fizer alguma preparação para os adultos que leve gema crua.
- Garanta que a gema esteja cozida. No caso do ovo cozido, guarde esta marca: a clara e a gema estarão completamente cozidas depois de 12 minutos de cozimento em água fervente (bolhas pequenas).
- Quando tirar um ovo da geladeira, deixe em temperatura ambiente por, no máximo, 2 horas.

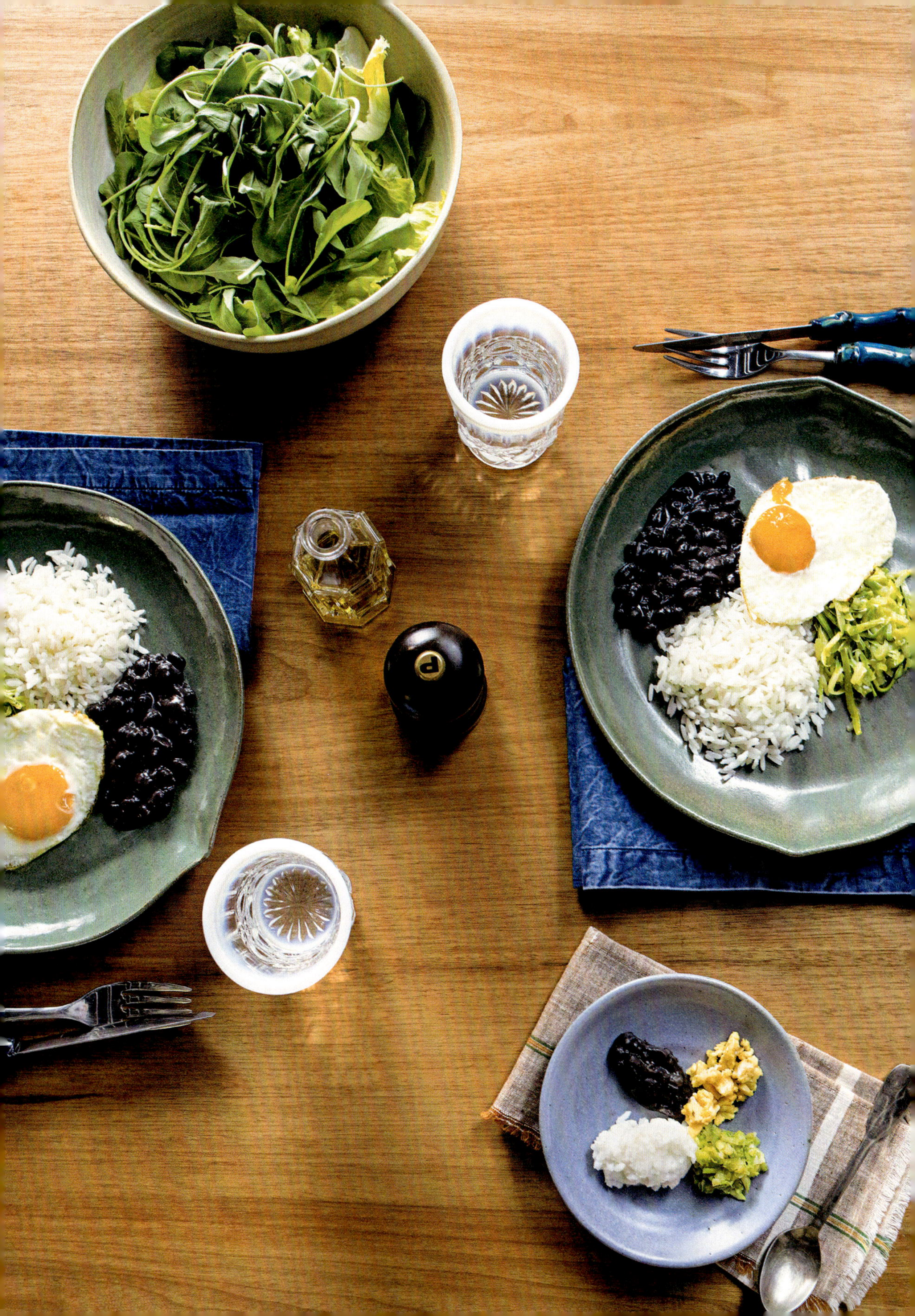

Se for usar mais de um ovo, como no caso da omelete, quebre um por um numa tigelinha à parte, antes de adicionar à preparação. Assim, se um deles estiver estragado, você não perderá a receita inteira.

Ovo de codorna também vale na introdução alimentar! No início, sirva cozido e amassado, depois divida ao meio e dê na mão dele. Mais tarde, quando o bebê estiver esperto que só ele, ofereça descascado, mas inteiro.

Métodos de cozimento

COZIDO: um clássico! Vamos combinar que não vale gema crua, mas também não vale ovo cinza — cor que aparece quando ele foi cozido demais. Para não errar o ponto, siga estas instruções: leve uma panela pequena com água ao fogo alto para ferver. Mergulhe o ovo na água fervente e abaixe o fogo. Conte os minutos seguindo a tabela abaixo.

OVO COZIDO	TEMPO
Com gema dura (para os bebês: clara e gema precisam ser sempre cozidas, mas sem passar do ponto)	12 minutos
Com gema cremosa (para os adultos: clara cozida e gema mais firme, porém úmida no centro)	7 minutos
Ovo mollet (para os adultos: clara cozida firme e gema mais líquida)	6 minutos
Ovo quente (para os adultos: clara cozida macia e gema bem mole, para comer no porta-ovo)	4 minutos

Para descascar, mergulhe o ovo numa tigela com água fria filtrada; ele vai amornar o suficiente até que você consiga manusear. Role delicadamente o ovo sobre a tábua e descasque. Passe novamente o ovo na tigela com água para descartar qualquer pedacinho de casca que tenha sobrado.

Para deixar na consistência de papa, amasse com um garfo, pique bem fininho ou passe pelo espremedor de batatas. Conforme o desenvolvimento da criança, vá cortando em pedaços maiores.

FRITO: quebre o ovo numa tigela pequena para evitar que caia qualquer pedacinho de casca na frigideira. Leve uma frigideira antiaderente pequena ao fogo médio; regue com um fio de azeite (ou óleo) e acrescente o ovo. Tempere com uma pitada de sal. Assim que a clara estiver firme, vire o ovo com uma espátula para que a gema também fique bem cozida. Pique de acordo com a faixa etária: bem fino ou em pedaços.

MEXIDO: quebre 2 ovos numa tigela pequena, tempere com uma pitada de sal e bata com um garfo para misturar as claras com as gemas. Leve ao fogo médio uma frigideira pequena, de preferência antiaderente, com ½ colher (chá) de manteiga. Assim que derreter, junte os ovos batidos e mexa até cozinhar — os ovos devem ficar levemente firmes, mas sem ressecar.

Se quiser, pode acrescentar cenoura ralada bem fino ou espinafre bem picadinho, por exemplo. Ajuste o tamanho dos pedacinhos à idade do bebê.

OMELETE: preparada individualmente na frigideira ou na versão fritata para a família, a omelete pode incluir legumes e verduras no preparo. Vale batata, espinafre, milho, ervilha fresca.

O centro da omelete deve ficar bem cozido para não haver risco de contaminação.

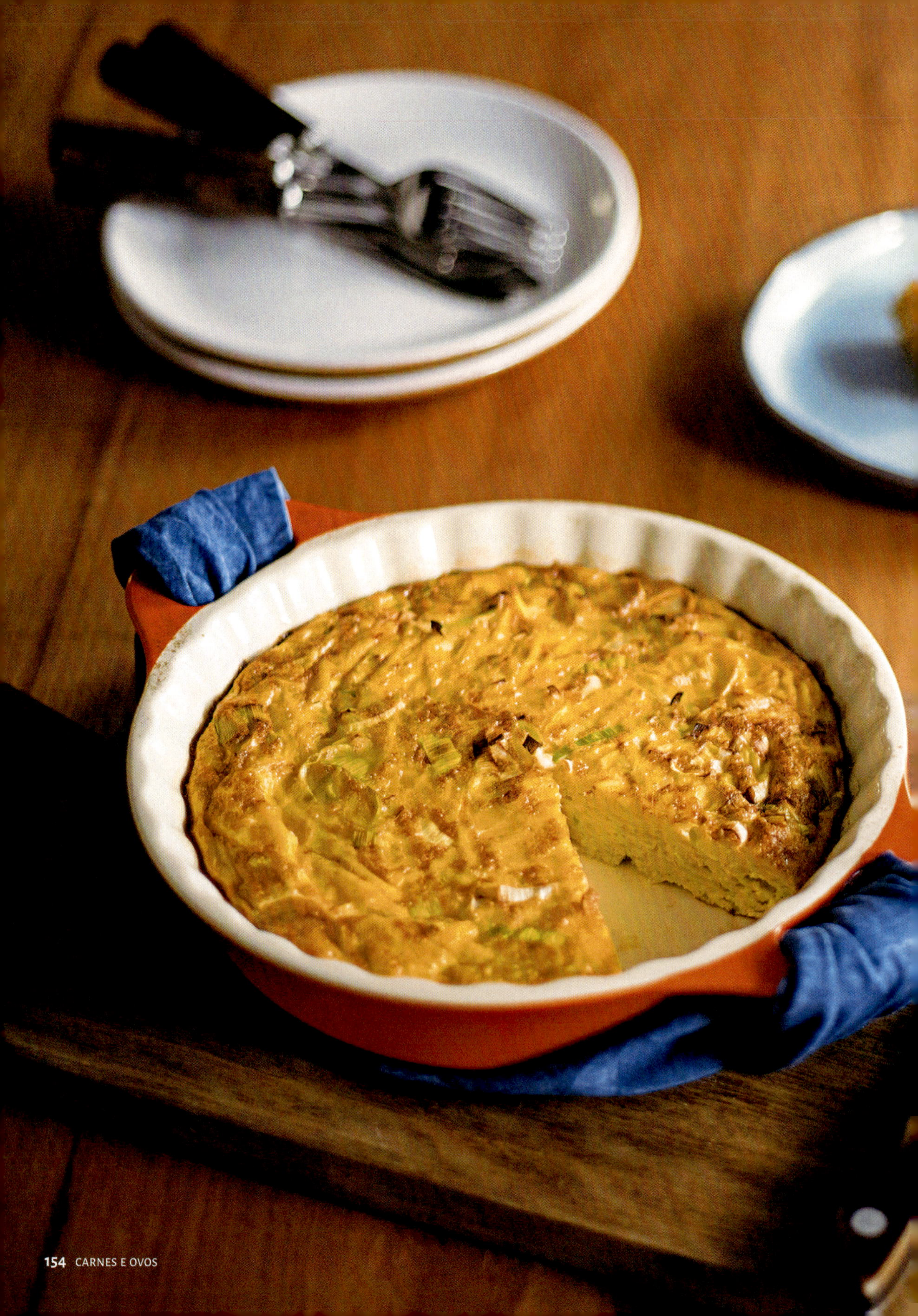

RECEITA PARA O BEBÊ E PARA A FAMÍLIA

Omelete de forno com mandioquinha e alho-poró

Nos dias em que o tempo ou o planejamento dá uma rasteira na gente, o ovo é o melhor aliado. Mas não precisa ser um ovinho mexido qualquer, não. Preaqueça o forno porque vai sair — a jato! — uma refeição e tanto.

SERVE **6 PORÇÕES** | PREPARO **40 MINUTOS**

7 OVOS
2 MANDIOQUINHAS
1 ALHO-PORÓ
1½ COLHER (CHÁ) DE SAL
AZEITE PARA UNTAR O REFRATÁRIO

1. Preaqueça o forno a 200 ºC (temperatura média). Unte com azeite um refratário redondo que comporte 2 litros.

2. Lave e seque a mandioquinha e o alho-poró. Descasque e passe as mandioquinhas pela parte grossa do ralador. Descarte a ponta com a raiz e as folhas e corte o talo do alho-poró em meias-luas finas.

3. Numa tigela pequena, quebre um ovo de cada vez e transfira para outra tigela maior — se um deles estiver estragado, você não perderá a receita inteira. Bata com um garfo apenas para misturar as claras com as gemas. Junte a mandioquinha e o alho-poró, tempere com o sal e misture bem.

4. Transfira a mistura de ovos para o refratário untado e leve ao forno para assar por cerca de 30 minutos, até inflar e dourar. Sirva a seguir.

Só mais uma coisa

Já faz tempo que não sou mãe de bebês. Mas continuo sendo mãe! Eu sei que os pais sempre têm dúvida se estão fazendo o melhor para o filho. Por isso, antes de me despedir, quero dizer mais uma coisinha para você: vai fundo! Você tem todas as condições para cuidar muito bem da alimentação do seu filho.

Seu bebê pode comer de tudo, desde que seja comida de verdade. E você também! Para mim, a grande sacada é a família toda pegar carona com o bebê nessa alimentação saudável, variada e saborosa.

É justamente na hora do vamos ver que você... vai ver: o método proposto neste livro é libertador. Você ganha autonomia para fazer melhores escolhas – e segurança com as panelas para preparar refeições saborosas.

Contei no começo do livro que só aprendi a cozinhar aos vinte anos, quando decidi fazer um curso de gastronomia. A experiência foi tão transformadora que queria convencer todos os meus amigos a entrar na cozinha.

É isso o que venho fazendo desde então, há mais de vinte anos. E ter ensinado tanta gente a cozinhar com as minhas receitas é, sem dúvida, a minha maior realização profissional.

Está claro que saber cozinhar é uma ferramenta para manter uma alimentação saudável. Para quem nunca cozinhou, parece que estou dizendo que é só aprender a falar grego antigo que está tudo resolvido. Mas, se você já leu o livro, e já chegou nas últimas páginas, agora sabe que não é nada complicado.

Mãos à obra! Vou ficar aqui torcendo para que você e sua família também encontrem na cozinha um espaço que vá além das obrigações do dia a dia. Espero que ela seja um lugar vivo, afetivo, um espaço para alimentar as relações. Quando a alma dos pais ficar insegura – a gente se preocupa tanto! – a comida saudável e saborosa também pode ser um conforto. A introdução alimentar é um momento muito especial e gratificante. Vai ser uma delícia acompanhar o desenvolvimento do seu bebê! **Boa sorte!**

FOTOGRAFE O SEU BEBÊ COM O PÊ-EFINHO E COMPARTILHE NAS REDES SOCIAIS

FACEBOOK Rita Lobo e Panelinha
INSTAGRAM @ritalobo e @editorapanelinha
TWITTER @ritalobo e @panelinha
Quer marcar a gente? #ReceitasQueFuncionam, #ReceitaPanelinha e #JaPraCozinha
Assista à série *Comida de Bebê* no canal Panelinha no YouTube: (youtube.com/sitepanelinha)

Índice de receitas

A

ABACATE AMASSADO COM LIMÃO | 54

ABÓBORA ASSADA COM ALHO E SÁLVIA | 75

ABOBRINHA REFOGADA COM HORTELÃ | 77

ARROZ BRANCO COM CENOURA RALADA, ALHO-PORÓ OU SALSÃO | 103

ARROZ BRANCO SERVIDO COM SALSINHA OU RASPAS DE LIMÃO | 103

ARROZ BRANCO SOLTINHO | 102

ARROZ BRANCO TEMPERADO COM ESPECIARIAS | 103

ARROZ DE BRÓCOLIS | 103

B

BANANA ASSADA | 48

BANANA COZIDA | 48

BANANA GRELHADA | 48

BATATA, BATATA-DOCE E MANDIOQUINHA ASSADAS | 106

BATATA, BATATA-DOCE E MANDIOQUINHA COZIDAS EM ÁGUA | 106

BETERRABA COZIDA COM CANELA E TOMILHO | 73

BIFE DE FILÉ MIGNON | 130

BIFE DE PEITO DE FRANGO GRELHADO | 140

BOLO DE BANANA COM AVEIA | 53

BRÓCOLIS ASSADOS SERVIDOS COM RASPAS DE LIMÃO | 75

C

CAÇÃO COZIDO | 146

CANJA (CALDO DE FRANGO) | 140

CARNE MOÍDA REFOGADA | 128

CENOURA COZIDA | 73

CREME DE ABACATE (*COUPE CAMARGO*) | 56

CREME DE ABACATE CONGELADO | 56

E

ENSOPADO DE MÚSCULO COM LIMÃO | 134

ESCALOPINHO DE LOMBO COM SÁLVIA | 136

ESCAROLA REFOGADA COM ALHO | 77

ESCAROLA REFOGADA COM UVA-PASSA, LIMÃO E PIMENTA SÍRIA | 77

ESPINAFRE COZIDO SERVIDO COM CALDO DE LIMÃO | 73

F

FEIJÃO CASEIRO | 93

FEIJÃO REFOGADO COM BETERRABA E COMINHO | 95

FEIJÃO REFOGADO COM PIMENTÃO E TOMILHO | 95

FEIJÃO REFOGADO COM TOMATE E PÁPRICA | 95

FÍGADO ACEBOLADO | 133

FILÉ DE PEIXE GRELHADO | 144

G

GUACAMOLE A JATO | 56

I

INHAME E CARÁ COZIDOS | 110

INHAME E CARÁ REFOGADOS | 110

L

LENTILHA DO DIA A DIA COM CÚRCUMA | 97

M

MAÇÃ ASSADA | 61

MAÇÃ ASSADA COM CROCANTE DE NOZES | 62

MAÇÃ COZIDA COM ESPECIARIAS | 60

MACARRÃO COM ABOBRINHA E HORTELÃ | 77

MANDIOCA ASSADA | 112

MANDIOCA COZIDA NA PRESSÃO | 112

MILHO COZIDO | 114

MILHO REFOGADO | 114

MOLHO DE IOGURTE | 79

MOLHO DE TAHINE | 79

MOLHO PESTO RÁPIDO | 79

N
NHOQUE DE BATATA | 122

O
OMELETE DE FORNO COM
    MANDIOQUINHA E ALHO-PORÓ | 155

OVO COZIDO | 152

OVO FRITO | 153

OVO MEXIDO | 153

P
PAPA DE ARROZ | 105

PAPA DE ARROZ AMASSADO | 103

PAPILLOTE DE BANANA | 50

PAPILLOTE DE SALMÃO COM ESPINAFRE E TOMATE | 148

PASTINHA DE BETERRABA COM RICOTA | 73

PERA COM CALDA PERFUMADA DE RAPADURA | 67

PERA COZIDA | 64

PERNIL DESFIADO NA PRESSÃO | 139

POLENTA GRELHADA | 116

POLENTA MOLE | 116

PURÊ DE BANANA-DA-TERRA | 51

PURÊ DE BATATA | 108

PURÊ DE BATATA-DOCE | 108

PURÊ DE MANDIOQUINHA | 108

R
RABANETE ASSADO COM SALSINHA | 75

RAGÚ DE CARNE MOÍDA | 128

ROBALO COZIDO NO VAPOR | 146

S
SALADA DE FOLHAS VERDES COM ABACATE | 56

SOBRECOXA ASSADA COM
    BATATA-DOCE E PIMENTÃO | 143

SOPA DE CENOURA PERFUMADA | 73

SORVETE NATURAL DE ABACATE | 56

SORVETE NATURAL DE BANANA | 50

T
TOMATE REFOGADO COM ALHO E MANJERICÃO | 77

TUTU DE FEIJÃO | 113

V
VIRADINHO DE MILHO | 116

PRODUÇÃO DE OBJETOS

Além dos itens do acervo Panelinha, para as produções fotográficas deste livro também foram usados objetos emprestados pelas seguintes lojas e marcas:

Artiz, Carolina Peraca, Ceraflame, Cerâmicas da Cris, Copa&Cia, Le Creuset, Le Lis Casa, Le PinPop, Luiza Ruberti (design têxtil), Nelise Ometto (cerâmicas), Olive Cerâmicas, POD (cerâmicas), Roberto Simões Casa, Stella Ferraz (cerâmicas), SouQ, Teakstore e Tok&Stok.

Índice remissivo

A

ABACATE, **23**, **42**, **44**, **54**, **56**; CONGELADO, **56**; *COUPE CAMARGO*, **56**; GUACAMOLE, **44**; GUACAMOLE A JATO, **56**

ABACAXI, **23**, **42**

ABÓBORA, **21**, **23**, **70-72**, **74**, **78**; ASSADA COM ALHO E SÁLVIA, **74-75**

ABOBRINHA, **8**, **23**, **71-72**, **74**, **76-77**, **147**; ABOBRINHA REFOGADA COM HORTELÃ, **77**

ACELGA, **147**: CHINESA, **146**

ACHOCOLATADO, **17**

AÇÚCARES LIVRES, **45**

AEROFAGIA, **30**

AGROTÓXICOS, **31**, **43**, **70**

ÁGUA, **30**, **45**

ALECRIM, **29**, **72**, **103**, **106**, **143**

ALERGIAS, **22**, **24**: ALIMENTAR NA FAMÍLIA, **24**; ALIMENTOS MAIS ASSOCIADOS COM, **24**; REAÇÕES NA PELE, **24**

ALHO, **29**, **126**

ALHO-PORÓ, **29**, **86**, **103**, **146**, **155**

ALIMENTAÇÃO BALANCEADA, **6**, **21-22**, **45**

ALIMENTAÇÃO SAUDÁVEL, **6-8**, **10-11**, **15**, **18-20**, **101**, **121**

ALIMENTOS: CALÓRICOS, **26**; CLASSIFICAÇÃO DOS, **9**, **15-19**, **121**; HIGIENIZAÇÃO DOS, **71**; *IN NATURA*, **16**; ORGÂNICOS, **31**; POLÊMICOS, **25**; PROCESSADOS, **16**; ULTRAPROCESSADOS, **16**; VALIDADE DOS, **32**

AMASSADOS, **9**, **14**, **27**, **36**, **38**, **42**, **50**, **54**, **72**, **75**, **94**, **103**, **105-106**, **152**

AMEIXA, **42**, **50**

AMENDOIM, **25**

AMINOÁCIDOS ESSENCIAIS, **83**

ANEMIA, PREVENÇÃO DE, **23**

ANGU, **116**

AROMATIZANTES, **16**

ARROZ, **8-9**, **14**, **17**, **21**, **23**, **29**, **38**, **76**, **82-80**, **99-105**, **141**, **149**: ARROZ BRANCO SOLTINHO, **102-103**; BRANCO, **104**; CATETO, **104**; COM FEIJÃO, **83**, **121**; INTEGRAL, **104**; NA PANELA DE PRESSÃO, **104**; VARIANDO O SABOR DO, **103**

ARROZ BRANCO SOLTINHO, **102-103**

ASMA, **24**

ATUM, **17**

AUTORREGULAÇÃO, **10**, **35**

AVEIA, **23**, **53**, **62**

AVOCADO, **39**, **56**

AZEITE, **17**, **29**

B

BACALHAU, **17**

BACON, **92**, **126**, **136**

BALAS, **17**

BANANA, **23**, **27**, **37**, **39**, **42**, **44**, **46**, **48**, **50**, **53**: AMASSADA, **27**, **37**, **42**, **46**, **53**; ASSADA, **48**; ASSADA COM A CASCA, **46**; ASSADA EM PAPILLOTE, **50**; BOLO DE, **48**; BOLO DE BANANA, COM AVEIA, **53**; COM CANELA E MEL, **48**; COM OUTRAS FRUTAS FRESCAS E SECAS, **50**; CONGELADA, **50**; COZIDA, **46**, **48**; -DA-TERRA, **46**, **48**; GRELHADA, **48**; -MAÇÃ, **46**; MÉTODOS DE COZIMENTO, **48**; NA PAPA SALGADA DO BEBÊ, **48**; -NANICA, **46**, **48**; -OURO, **46**; -PRATA, **46**, **53**; -PRATA CONGELADA, **50**; PURÊ DE BANANA-DA-TERRA, **51**

BANHA DE PORCO, **17**

BARRINHA PARA O LANCHE, **19**

BATATA, **21**, **23**, **100**, **106**, **108**, **123**, **141**, **153**: ASSADA, **106**; CONGELADA, **108**; COZIDA EM ÁGUA, **106**; MÉTODOS DE COZIMENTO, **106**;

NHOQUE DE, 122-123; PURÊ DE, **99**, **101**, **108**

BATATA-DOCE, **101**, **106**, **118**, **143**: ASSADA, **106**;
CONGELADA, **108**; COZIDA EM ÁGUA, **106**;
MÉTODOS DE COZIMENTO, **106**;
NHOQUE DE, **118**; PURÊ, **108**

BEBIDAS LÁCTEAS, **17**

BERINJELA, **70-72**, **76**, **146**

BETERRABA, **17**, **21**, **70-71**, **73**, **78**, **86**, **95**:
COZIDA COM CANELA E TOMILHO, **73**

BIFE, **127**, **130**: DE FILÉ-MIGNON, **130**;
DE PEITO DE FRANGO, **140**

BISCOITO RECHEADO, **17**

BISTECA, **127**

BLISS – BABY-LED INTRODUCTION TO SOLIDS, **26**

BLW – BABY-LED WEANING, **26**

BOLO DE BANANA COM AVEIA, **53**

BOLO, MISTURA PARA, **17**

BOLSAS TÉRMICAS, **39**

BRANQUEAMENTO, **78**

BRÓCOLIS, **23**, **70-72**, **74-76**, **78**, **103**, **146**:
COM RASPAS DE LIMÃO, **75**

C

CAÇÃO, **127**, **144**, **146**

CÁLCIO, **25**

CALDO INDUSTRIALIZADO, **17**

CANELA, **29**, **48**, **50**, **53**, **60-62**, **67**, **72-73**, **110**, **146**

CANJA, **140**

CAQUI, **23**, **43**

CARÁ, **23**, **101**: COZIDO, **110**; REFOGADO, **110**

CARAMBOLA, **42**

CARBOIDRATOS, **23**

CARDAMOMO, **50**, **103**

CARDÁPIO SEMANAL, **14**, **82**

CÁRIE DENTÁRIA, **45**

CARNE, **9**, **11**, **14-16**, **21**, **23-24**, **38**, **72**, **74**, **83**, **125-126**, **133**, **136**, **139**, **143**: ABSTENÇÃO DA, **24**;
BIFE, **130**; BOVINA, **125**, **128**, **130**; CONGELADA, **32**;
CONSISTÊNCIA DA, **27**; CRUA, **25**; DE AVES, **17**;
DE BOI, **17**; DE FRANGO, **125**, **141**; DE PEIXES, **17**, **144**, **146**;
DE PORCO, **17**, **121**, **132**; DESFIADA, **27**;
ENSOPADO DE MÚSCULO COM LIMÃO, **134-135**;
EXTRATO DE, **16**; FÍGADO, **23**, **127**, **130**, **133**;
FILÉ-MIGNON, **130**; MALPASSADA, **25**;
MIÚDOS, **23**, **130**; MOÍDA, **127-128**; MÚSCULO, **130**;
PICADINHA, **27**; PROCESSADA, **126**;
RAGU DE, **116**; REGRA PARA O PREPARO, **128**;
TEMPERADA E EMPANADA, **17**;
TEMPO DE COZIMENTO, **127**; *VER TAMBÉM* CARNES
ESPECÍFICAS, CORTES ESPECÍFICOS

CARNES-SECAS, **17**

CASTANHA-DE-CAJU, **25**

CASTANHAS, **17**, **24-25**

CEBOLA, **29**, **126**

CEBOLINHA, **29**, **72**, **114**, **127-128**

CENOURA, **21**, **23**, **29**, **70-74**, **78**, **86**, **103**, **147-148**, **153**:
COZIDA QUE VIRA SOPA, **73**

CEREAIS, **11**, **14-15**, **21**, **23**, **83**, **99-123**: BARRINHAS, **17**;
MATINAIS AÇUCARADOS, **17**

CHÁS, **30**

CHUCHU, **23**, **70-71**, **74**, **76**, **115**, **148**

CHUQUINHAS, **30**

CHUTNEY, **58**

CLOSTRIDIUM BOTULINUM, **25**

COENTRO, **29**, **56**, **110**, **126**, **139**

COGUMELOS, **17**

COMINHO, **29**, **86**, **95**, **97**, **110**, **114**, **126**, **143**

COMPOSIÇÃO NUTRICIONAL, **15**, **19**, **70**, **100**, **106**

CONSERVAS, **17**

CONSISTÊNCIA, **27**, **42**, **44**, **46**, **54**, **64**, **114**, **153**:
AMASSADINHO, **9**;
DE PAPA, **58**, **67**, **90**, **110**, **114-115**, **127**, **153**;
LÍQUIDA, **27**; PICADINHA, **9**

CONSULTORIA NUTRICIONAL, **7**

CORANTES, **16**

COSTELA, **127**

COSTELINHA DEFUMADA, **126**, **136**

COUVE, **23**, **70-71**, **78**

COUVE-FLOR, **23**, **73**, **72**, **78**

COXÃO MOLE, **127**

CRAVO-DA-ÍNDIA, **60**, **72**, **146**

CREME DE LEITE, **27**

CRUMBLE, **61**

CRUSTÁCEOS, **24**

CURA, **16**

CÚRCUMA, **29**, **73**, **97**, **103**, **110**, **127**, **143**

CURRY, **29**, **141**

CUSCUZ MARROQUINO, **118**

D

DEFUMAÇÃO, **16**

DERMATITE, **24**

DESENVOLVIMENTO NEUROLÓGICO, **23**, **136**

DIARREIA, **25**, **31**, **126**

DIETA BALANCEADA, **19**

E

EMULSIFICANTES, **16**

ENSOPADO DE MÚSCULO COM LIMÃO, **134-135**

ENZIMAS DIGESTIVAS, **34**

ERVA-CIDREIRA, **60**

ERVA-DOCE, **127**, **139**, **148**

ERVAS, **60**, **74**, **95**, **103**, **114**, **146**:
    FRESCAS, **17**, **29**, **64**, **72**, **106**, **148**

ERVILHA, **17**, **23**, **78**, **82**, **90**, **92**, **153**

ERVILHA-TORTA, **147**

ESCALOPINHO, **127**, **136**

ESCAROLA, **71**, **76**, **77**

ESCAROLA REFOGADA COM ALHO, **77**

ESPECIARIAS, **17**, **29**, **50**, **60**, **64**, **72**, **74**, **86**, **95**, **97**, **103**, **110**, **114**, **146**

ESPESSANTES, **16**

ESPINAFRE, **21**, **23**, **70-71**, **48**, **147-149**, **153**:
    COM CALDO DE LIMÃO, **73**

F

FAMÍLIAS VEGETARIANAS, **24**

FARINHA, **16**, **17**, **19**, **100**

FAROFA, **62**, **99-100**: DE MANDIOCA, **113**

FAVA, **84**, **91-92**: PARA DESCONGELAR, **92**;
    TABELA DE COZIMENTO, **91**

FEIJÃO, **8-9**, **11**, **14-15**, **17**, **19**, **21**, **23**, **29**, **37-38**, **72**,
    81-97, **100**, **102**, **113**: AZUKI, **84**; BOLINHA, **84**;
    -BRANCO, **84**, **90-91**; CALDINHO DO, **6**; -CARIOCA, **84**, **91**;
    CASEIRO, **93**; COMO COZINHAR, **84**;
    CONGELADO, **32**, **88-89**; COZIMENTO, **85**;
    DESCONGELAR, **89-90**, **92**; ENGROSSAR O CALDO, **87**;
    ESCOLHA DO TIPO, **84**; -FRADINHO, **84**, **91**;
    GUANDU, **84**; JALO, **84**; -MANTEIGUINHA, **84**;
    MOLHO CURTO, **85**; MOLHO E REMOLHO, **84**;
    MOYASHI, **84**; -MULATINHO, **84**;
    NA PANELA CONVENCIONAL, **86**;
    NA PANELA DE PRESSÃO, **85**; -PRETO, **84**, **91**;
    -RAJADO, **84**, **91**; REFOGADO, **86**;
    REFOGADO COM BETERRABA E COMINHO, **95**;
    REFOGADO COM PIMENTÃO E TOMILHO, **95**;
    REFOGADO COM TOMATE E PÁPRICA DOCE, **95**;
    RENDIMENTO, **88**; ROSINHA, **84**, **91**; SAL NO, **87**;
    SELEÇÃO DOS GRÃOS, **84**;
    TABELA DE COZIMENTO, **91-92**;
    TEMPERAR E ENGROSSAR, **86**; TUTU DE, **113**;
    -VERDE, **84**; -VERMELHO, **84**

FEIJÃO CASEIRO, **93**: PARA VARIAR O REFOGADO, **95**

FEIJÃO COM ARROZ, **82**

FERRO, **23**, **26**, **126**, **130**, **136**

FEZES: AMOLECIDAS, **24**;
    MUDANÇA DE COR E TEXTURA DAS, **24**

FIBRAS, **23**, **45**

FÍGADO, **23**, **127**, **130**, **133**

FÍGADO ACEBOLADO, **132-133**

FILÉ-MIGNON: BOVINO, **127**, **130**; SUÍNO, **136**

FÓRMULA, **14**, **21**

FRANGO, **6**, **8**, **21**, **23**, **115**, **125-127**, **141**, **143**:
   CALDO DE, **141**; COXA E SOBRECOXA, **141**;
   PEITO DE, **141**; SOBRECOXA ASSADA COM BATATA-
   -DOCE E PIMENTÃO, **142-143**
FRUTAS, **11**, **14**, **17**, **21**, **23**, **35-36**, **38-67**:
   COMPOSIÇÃO NUTRICIONAL, **44**;
   CRISTALIZADAS, **17**; EM CALDA, **17**;
   HIGIENE DAS, **31**; *IN NATURA*, **45**;
   SAZONALIDADE, **43**; SECAS, **17**
FRUTOS DO MAR, **25**, **125-126**
FRUTOSE, **45**: XAROPE DE, **16**
FUBÁ, **116**

G

GASES, **24**, **30**
GENGIBRE, **51**, **67**, **73**, **86**, **110**, **149**
GLICOSE, **45**
GLÚTEN, **10**, **19**, **121**
GOIABA, **42**
GORDURA: DE COCO, **17**; VEGETAL HIDROGENADA, **16**
GRÃO-DE-BICO, **17**, **21**, **23**, **82**, **90-92**:
   PARA DESCONGELAR, **92**; TABELA DE COZIMENTO, **91**
GRÃOS, **16**
GRUPOS ALIMENTARES, **10-11**, **21**, **23**, **36**, **143**
GUACAMOLE, **44**
GUIA ALIMENTAR PARA A POPULAÇÃO BRASILEIRA
   (MINISTÉRIO DA SAÚDE), **7**, **9**, **16**

H

HIPOCLORITO DE SÓDIO, **31**
HORTALIÇAS, **17**, **45**
HORTELÃ, **127**

I

IBGE - INSTITUTO BRASILEIRO DE GEOGRAFIA
   E ESTATÍSTICA, **9**
INGREDIENTES CULINÁRIOS, **16**, **18**
INHAME, **21**, **23**, **101**, **110**:
   COZIDO EM ÁGUA, **110**; REFOGADO, **110**
INTOLERÂNCIAS, **24**

INTRODUÇÃO ALIMENTAR, **6-8**, **10-11**, **13-15**, **21-22**,
   26-27, **32**, **42**, **44**, **46**, **53**, **60**, **72**, **87-88**, **100**, **104**, **116**, **118**,
   126-127, **130**, **133**, **152**
IOGURTE, **25**: ADOÇADO, **17**; MOLHO DE, **79**

K

KIWI, **23**

L

LAGARTO, **127**
LANCHINHOS, **14**, **21**
LARANJA, **6**, **23**, **45**, **60**, **73**:
   CALDO DE, **64**; -LIMA, **6**; NO COZIMENTO, **60**
LASANHA, **8**, **17**
LATICÍNIOS, **24**
LEGUMES, **9**, **11**, **14-15**, **17**, **19**, **21**, **23**, **29**, **38**, **69-79**, **82**,
   86, **95**, **115**, **141**, **143**, **146-147**, **149**, **153**:
   AROMÁTICOS, **29**; ASSADOS, **79**;
   BRANQUEADOS, **78**; CONGELADOS, **32**, **78**;
   COZIDOS, **79**; COZIDOS CONGELADOS, **78**;
   COZIDOS EM ÁGUA, **73**; CROCANTES, **74**;
   ESCOVINHA PRÓPRIA PARA, **71**;
   GUIA DE PRÉ-PREPARO DE; **71**; HIGIENE DOS, **31**; PARA
   COZINHAR EM ÁGUA, **72**; REFOGADOS, **76-77**, **79**
LEGUMINOSAS, **14**, **17**, **21**, **81-84**
LEITE, **27**, **101**: DE VACA, **25**, **27**;
   DERIVADOS DE, **27**, **73**; FÓRMULA, **21**, **25**;
   MATERNO, **21-22**, **25**, **30**, **36**; PASTEURIZADO, **16**;
   PROTEÍNA DE, **16-17**
LENTILHA, **17**, **21**, **23**, **73**, **82**, **90-92**, **97**, **118**:
   A JATO NA PRESSÃO, **97**; LENTILHA DO DIA A DIA, **96-97**;
   PARA DESCONGELAR, **92**; TABELA DE COZIMENTO, **91**
LENTILHA DO DIA A DIA, **96-97**
LEVEDURA, **17**
LIMÃO, CALDO DE: NO COZIMENTO, **60**, **64**;
   PARA EVITAR O ESCURECIMENTO DO ABACATE, **54**
LINGUADO, **144**
LINGUIÇA, **136**
LISINA, **83**

LOMBO, **136**

LOURO, **72**, **146**

M

MAÇÃ, **23**, **39**, **42**, **51**, **58**, **60-62**, **64**: ASSADA, **61**;
MAÇÃ ASSADA COM CROCANTE DE NOZES, **62-63**;
CONSISTÊNCIA DE PAPA, **58**; COZIDA, **60**;
CRUMBLE DE, **61**; FUJI, **58**;
GALA, **58**; MÉTODOS DE COZIMENTO, **60**;
PAPA DE, **62**; VERDE, **58**

MAÇÃ ASSADA COM CROCANTE DE NOZES, **62-63**

MACARRÃO, **17-19**, **21**, **23**, **77**, **100-101**, **121**:
AO PESTO, **79**; AVE-MARIA, **118**;
COM MOLHO DE ABOBRINHA, **77**;
INSTANTÂNEO, **17**, **121**; LETRINHAS, **118**; RISONI, **118**

MACARRONADA, **99**

MAMADEIRAS, **30**

MAMÃO, **23**, **42**, **43**

MANDIOCA, **17**, **21**, **23**, **100-101**, **112**:
ASSADA, **112**; CONGELADA, **108**;
COZIDA EM ÁGUA, **112**; FARINHA DE, **100**, **113**

MANDIOQUINHA, **101**, **106**, **155**: ASSADA, **106**;
CONGELADA, **108**; COZIDA EM ÁGUA, **106**;
MÉTODOS DE COZIMENTO, **106**;
NHOQUE DE, **122**; PURÊ DE, **108**

MANGA, **42**

MANJERICÃO, **72**, **77**, **79**, **122**, **127-128**, **146**

MANTEIGA, **17**, **19**, **25**, **27**

MARMITINHA, PREPARO DA, **39**

MASSAS, **17**

MASTIGAÇÃO, **27**, **46**, **74**, **115**, **118**, **130**

MEDIDAS E MEDIDORES-PADRÃO, **30**

MEL, **25**

MELANCIA, **23**, **42**

MELÃO, **42**

METIONINA, **83**

MEXERICA, **42**

MICRO-ONDAS, **17**, **32**, **33**, **39**: REGRAS DE USO DO, **78**

MILHO, **17**, **23**, **99-100**, **114**, **153**:
CONSISTÊNCIA DE PAPA, **114**; COZIDO, **114**;
CUSCUZ PAULISTA, **115**; FARINHA DE, **100**, **116**;
FARINHA FINA, **116**; FUBÁ, **116**; REFOGADO, **114**, **116**;
SÊMOLA DE, **116**; VIRADINHO DE, **116**

MINERAIS, **23**

MOLHO: DE IOGURTE, **79**; DE TAHINE, **79**;
DE SHOYU E GENGIBRE, **149**; PESTO RÁPIDO, **79**

MOLHO DE SHOYU E GENGIBRE, **149**

MONTEIRO, CARLOS, **7**

MOQUECA, **146**

MOSTARDA DE DIJON, **75**

MÚSCULO COM LIMÃO, ENSOPADO DE, **134-135**

MÚSCULOS FACIAIS, DESENVOLVIMENTO DOS, **27**

N

NHOQUE, **106**: DE BATATA, **122-123**; CONGELADO, **123**

NHOQUE DE BATATA, **122-123**

NOZES, **25**

NOZ-MOSCADA, **29**, **77**, **101**, **108**

NUPENS (NÚCLEO DE PESQUISAS EPIDEMIOLÓGICAS EM
NUTRIÇÃO E SAÚDE) DA UNIVERSIDADE DE SÃO
PAULO (USP), **7**

O

OBESIDADE, **10**, **18**:
CONSUMO DE ULTRAPROCESSADOS E, **16**;
VER TAMBÉM SOBREPESO

ÓLEOS: DE GIRASSOL, **17**; DE MILHO, **17**; DE SOJA, **17**

OMELETE, **153**

OMELETE DE FORNO COM MANDIOQUINHA E
ALHO-PORÓ, **154-155**

ORÉGANO, **127**

ORGANIZAÇÃO MUNDIAL DA SAÚDE, **28**

OSSOBUCO, **127**

OVO(S), **11**, **14**, **17**, **19**, **21**, **23-25**, **53**, **15**, **125-126**, **150**, **152-153**, **155**:
COZIDOS, **152**; CUIDADOS COM, **150**, **152**;
DE CODORNA, **152**; FRITOS, **153**; MEXIDOS, **153**;
MOLLET, **152**; OMELETE, **153**;

OMELETE DE FORNO COM MANDIOQUINHA E ALHO-PORÓ, **154-155**; QUENTE, **152**;

TEMPO DE COZIMENTO, **150**

P

PADRÃO ALIMENTAR TRADICIONAL BRASILEIRO, **15**

PAILLARD, **127**

PALETA, **136**

PANELINHA, **6**, **7**: MÉTODO, **30**; SITE, **8**

PÃO, **18-19**, **101**, **121**: DE FÔRMA, **17**

PAPA DE ARROZ, **105**

PAPA DE ARROZ AMASSADO, **103**

PAPILLOTE DE SALMÃO COM ESPINAFRE E TOMATE, **148-149**

PAPINHA, **9**, **14**, **32**, **60**, **62**, **67**, **105**;

VER TAMBÉM PÊ-EFINHO

PÁPRICA, **110**, **114**, **127**, **139**: DOCE, **29**, **86**, **95**;

PICANTE, **29**, **141**

PATINHO, **127-128**

PÊ-EFE, **9**, **14**, **22**, **77**

PÊ-EFINHO, **8**, **10**, **14**, **21**, **26-27**, **36**, **77**, **79**, **121**:

+FRUTA, **36**; VER TAMBÉM PAPINHA

PEIXE, **21**, **23-24**, **115**, **126**, **148-149**: CAÇÃO, **146**;

FILÉ DE PESCADA, **144**; LINGUADO, **144**; PAPILLOTE DE SALMÃO COM ESPINAFRE E TOMATE, **148-149**;

ROBALO, **146**; *SAINT-PETER*, **144**;

SALMÃO, **147**; TILÁPIA, **144**

PERA, **23**, **42**, **50**, **64**: ASIÁTICA, **64**;

ASSADA EM PAPILLOTE, **64**;

COM CALDA PERFUMADA DE RAPADURA, **66-67**;

CONSISTÊNCIA DA, **64**; DÁGUA, **64**;

MÉTODOS DE COZIMENTO, **64**;

PORTUGUESA, **64**; WILLIAMS, **64**

PERA COM CALDA PERFUMADA DE RAPADURA, **66-67**

PERNIL, **136**: PERNIL DESFIADO NA PRESSÃO, **138-139**

PERNIL DESFIADO NA PRESSÃO, **138-139**

PESCADA, **127**, **144**; FILÉ DE, **144**; VER TAMBÉM PEIXE

PESO, GANHO DE, **45**;

VER TAMBÉM OBESIDADE; SOBREPESO

PESQUISA NACIONAL EM SAÚDE, **9**

PÊSSEGO, **42**, **50**

PESTO RÁPIDO, **79**

PICAR, **14**, **42**, **56**, **72**, **75**, **130**, **141**, **153**

PIMENTÃO, **23**, **70**, **78**, **86**, **95**, **139**, **143**, **148**

PIMENTAS, **29**

PIZZA, **17**, **19**, **122**

PLANEJAMENTO, **8**, **11**, **15**, **20**, **81**, **82**, **88**, **92**, **108**, **155**

POLENTA: CREMOSA, **73**, **99**; MOLE, **116**;

DICA PARA A FAMÍLIA, **116**

PORCO, **17**, **21**, **23**, **136**: BANHA DE, **17**;

ESCALOPINHO, **136**; LOMBO DE, **136**; PERNIL, **136**;

PERNIL DESFIADO NA PRESSÃO, **138-139**

PRATO FEITO, VER PÊ-EFE; PÊ-EFINHO

PROCESSAMENTO, **9**, **19**:

CLASSIFICAÇÃO DOS ALIMENTOS POR GRAU DE, **10**, **16-18**

PRODUTOS ULTRAPROCESSADOS, **10**, **16**, **28**, **121**

PROTEÍNAS, **23**, **25**, **33**, **83**, **125-126**, **136**, **150**

PURÊ, **72**, **101**, **106**, **108**: RÚSTICO, **27**, **36**, **87**

PURÊ DE BANANA-DA-TERRA, **51**

Q

QUEIJOS, **17-18**, **27**

QUIABO, **70**, **74**

R

RABADA, **127**

RABANETE, **23**, **70**, **74**: ASSADO COM SALSINHA, **75**

RAGU, **128**

RAÍZES, **16-17**

RAPADURA, **67**

REAÇÕES ALÉRGICAS, **24-25**

RECEITAS-BÔNUS, **53**, **62**, **66**, **78**

REFEIÇÕES, PLANEJAMENTO DAS, **11**

REFOGAR, **27**, **76**, **86**, **90**

REFRIGERANTES, **8-9**, **17**, **19**, **45**, **121**

REPOLHO, **71**, **77**

RINITE ALÉRGICA, **24**

ROBALO, **127**, **144**, **146**

ROTINA ALIMENTAR, **10**

S

SABOR, **14**: REALÇADORES DE, **16**

SACAROSE, **45**

SAINT-PETER, **144**

SAL, **9**, **17**, **28**: CONTROLE DO, **101**

SALADA, **64**, **84**, **86**, **92**, **106**: MOLHO PRONTO PARA, **17**

SALGA, **16**

SALMÃO, **127**, **144**, **147-149**: NO PAPILLOTE, **147**

SALMONELA, **150**

SALMOURA, **16**

SALSÃO, **29**, **73**, **78**, **86**, **103**, **141**

SALSICHAS, **17**, **126**

SALSINHA, **29**, **72**, **75**, **79**, **103**, **114**, **116**, **126**, **130**, **133**

SÁLVIA, **29**, **72**, **75**, **106**, **136**

SARDINHA EM LATA, **17**

SOBRECOXA ASSADA COM BATATA-DOCE E PIMENTÃO, **142-143**

SOBREMESA, **14**, **21**, **35**, **42**, **60**, **60**, **62**, **64**, **67**:
ABACATE AMASSADO COM LIMÃO E AÇÚCAR, **54**;
BANANA ASSADA EM PAPILLOTE, **50**;
BANANA COM CANELA E MEL, **48**;
BANANA CONGELADA, **50**; *CRUMBLE* DE MAÇÃ, **61**

SOBREPESO, **10**; *VER TAMBÉM* OBESIDADE

SOCIEDADE BRASILEIRA DE PEDIATRIA, **26**, **28**, **38**

SÓDIO, **28**; *VER TAMBÉM* SAL

SOJA, **17**, **24**, **82**, **91-92**: PARA DESCONGELAR, **92**;
TABELA DE COZIMENTO, **91**

SOPAS, **20**, **72**, **106**: EM PÓ, **17**

SORVETES, **17**

SUCÇÃO, **30**

SUCOS, **6**, **30**: ADOÇADOS, **17**, **45**; CONSUMO DE, **45**;
INDUSTRIALIZADOS, **45**

T

TAGINE, **146**

TAHINE, MOLHO DE, **79**

TAREFAS, DIVISÃO DE, **20**

TÉCNICAS CULINÁRIAS, **11**, **16**

TEXTURA, **9**, **14**, **20**, **22**, **37**, **103**:
DE BANANA AMASSADA COM O GARFO, **27**;
IDEAL DE PAPA, **27**, **42**, **44**, **46**, **103**, **105**, **118**;
PARA MORDIDA, **115**; PEDAÇUDA, **27**, **36**, **51**;
PRÓXIMA À DA FAMÍLIA, **36**, **38**

TILÁPIA, **144**

TOMATE, **146**, **148**: EXTRATOS E CONCENTRADOS, **17**;
MOLHO CASEIRO DE, **122**; MOLHO PRONTO, **17**

TOMATE CEREJA, **25**, **149**

TOMATE REFOGADO COM ALHO E MANJERICÃO, **77**

TOMILHO, **29**, **60**, **73**, **95**, **127**

TRIGO, **17**, **24**, **53**, **62**: FARINHA DE, **100**

TRIGO DURO, SÊMOLA DE, **118**

TUBÉRCULOS, **11**, **14**, **16**, **21**, **23**, **74**, **99-123**

TUTU, **113**

U

ULTRAPROCESSADO, **16**, **18**, **118**, **121**

UVA-PASSA, **50**

UVAS, **25**

V

VAGEM, **72**, **74**, **78**, **146**

VEGANOS, **24**

VERDURAS, **11**, **14-15**, **19**, **21**, **23**, **38**, **69-79**, **147**:
GUIA DE PRÉ-PREPARO DE, **71**; HIGIENE DAS, **31**;
RISCO DE CONTAMINAÇÃO, **21**

VINAGRE, **17**

VIRADINHO, **99**: DE FEIJÃO, **113**; DE MILHO, **116**

VITAMINAS, **23**, **45**, **136**: B12, **23**, **126**; ZINCO, **23**, **126**

VÔMITO, **24**

Z

ZINCO, **23**, **126**; *VER TAMBÉM* VITAMINAS

Sobre a autora

Para **RITA LOBO**, cozinhar é como ler e escrever: todo mundo deveria saber. E como ela se esforça para que todo mundo saiba! Rita é criadora e diretora geral do Panelinha e tem atuação destacada na mídia e em redes sociais como defensora da alimentação saudável, além de dar palestras pelo Brasil em favor da comida de verdade.

Autora *best-seller*, Rita já publicou sete livros, entre eles *Panelinha: Receitas que Funcionam, Cozinha de Estar, Pitadas da Rita, O Que Tem na Geladeira?* e *Cozinha Prática*.

Na TV, ela criou, apresenta e produz o *Cozinha Prática*, um dos programas de maior sucesso do canal a cabo GNT.

No canal Panelinha no YouTube, Rita produziu e apresenta, entre outras, as séries *O Que Tem na Geladeira?, Em Uma Panela Só* e *Refogado*, além de conduzir semanalmente o programa tira-dúvidas *Rita, Help!*.

Sobre o Panelinha

Site de receitas lançado no ano 2000, hoje o Panelinha é também editora de livros, produtora de TV e tem um canal no YouTube. Em todas as mídias, a missão é a mesma: levar as pessoas para a cozinha.

Desde 2016, o Panelinha mantém um convênio com o Núcleo de Pesquisas Epidemiológicas em Nutrição e Saúde, da Faculdade de Saúde Pública da Universidade de São Paulo (NUPENS/USP), grupo que coordenou a produção do *Guia Alimentar para a População Brasileira*, documento do Ministério da Saúde que virou referência em vários países.

O objetivo da parceria é divulgar a importância de comer comida de verdade e ensinar o público a cozinhar – a única maneira de manter uma alimentação saudável.

O primeiro projeto a ser publicado pela parceria foi a série de aulas em vídeo *Comida de Verdade*, no ar no canal Panelinha no YouTube.

Consultoria nutricional

Dr. Carlos Augusto Monteiro, médico sanitarista, professor titular do Departamento de Nutrição da Faculdade de Saúde Pública da USP, coordenador científico do Núcleo de Pesquisas Epidemiológicas em Nutrição e Saúde (NUPENS/USP), membro do Comitê de Especialistas da Organização Mundial da Saúde sobre Dieta e Saúde e responsável técnico pela elaboração do *Guia Alimentar para a População Brasileira* (Ministério da Saúde).

Dra. Sonia Isoyama Venancio, médica pediatra, doutora em Nutrição em Saúde Pública, pesquisadora sênior do Instituto de Saúde da Secretaria de Saúde do Estado de São Paulo e assessora do Ministério da Saúde para assuntos relacionados à amamentação e à alimentação complementar.

Dra. Patrícia Constante Jaime, nutricionista, professora associada do Departamento de Nutrição da Faculdade de Saúde Pública da USP, vice-coordenadora do Núcleo de Pesquisas Epidemiológicas em Nutrição e Saúde (NUPENS/USP), mestre e doutora em Saúde Pública e pós-doutora em Epidemiologia Nutricional pela USP e em Políticas Públicas de Alimentação e Nutrição pela London School of Hygiene and Tropical Medicine, no Reino Unido. Foi coordenadora técnica geral do *Guia Alimentar para a População Brasileira*.

Dra. Daniela Neri, nutricionista e pesquisadora de pós-doutorado do Núcleo de Pesquisas Epidemiológicas em Nutrição e Saúde da USP, especialista em Nutrição Clínica Pediátrica pela Universidade de Chile, Registered Dietitian (RD) pela Commission on Dietetic Registration e membro da Division of Pediatric Clinical Research da University of Miami, nos Estados Unidos.

Denise Magarian, técnica em Nutrição e Dietética pela Escola Técnica Estadual Carlos de Campos (Centro Paula Souza), nutricionista pela Faculdade de Saúde Pública da USP e especialista em Nutrição Clínica em Pediatria pelo Instituto da Criança do Hospital das Clínicas da Faculdade de Medicina da USP.

Copyright © by Rita Lobo, 2017
Grafia atualizada segundo o Acordo Ortográfico da Língua Portuguesa de 1990, que entrou em vigor no Brasil em 2009.

EDITORA PANELINHA
PUBLISHER
Rita Lobo
DIRETOR
Ilan Kow
COORDENAÇÃO EDITORIAL
Victoria Bessell de Jorge
PROJETO GRÁFICO E DIAGRAMAÇÃO
Estúdio Claraboia
CONSULTORIA NUTRICIONAL (NUPENS)
Dr. Carlos Augusto Monteiro
Dra. Patrícia Constante Jaime
Dra. Sonia Isoyama Venancio
Dra. Daniela Neri
Denise Magarian
EDIÇÃO DE TEXTO
Ana Lima Cecílio
FINALIZAÇÃO DE TEXTO
Milene Chaves
REDAÇÃO
Beatriz Peres
Milene Chaves

PREPARAÇÃO DE TEXTO
Carlos A. Inada
REVISÃO
Isabel Jorge Cury
Carla Fortino
ÍNDICE REMISSIVO
Maria Claudia Carvalho Mattos
CHEF DE COZINHA
Carolina Stamillo
CULINARISTAS
Gabriela Funatsu
Stephanie Mantovani
FOODSTYLING
Priscila Mendes
PRODUÇÃO DE ARTE
Amanda Fiorentino
FOTO DE CAPA
Gilberto Oliveira Jr.
FOTOS
Gilberto Oliveira Jr.
Ricardo Toscani
Arthur Vahia

TRATAMENTO DE IMAGEM
Álvaro Zeni
EQUIPE ONLINE
Heloisa Lupinacci (editora)
Natália Mazzoni (editora-assistente de texto)
Laura Parreira Conte (editora-assistente de culinária)
Quézia Magrini (auxiliar de redação)
ASSISTENTES ADMINISTRATIVOS
Luana Cafarro Sutto
Elaine Ferreira de Almeida
AUXILIARES DE LIMPEZA
Quitéria Alexandre Lopes
Joyce Lopes

Todos os direitos reservados à EDITORA PANELINHA
Al. Lorena, 1304 cj. 1307 CEP 01424-000
São Paulo – SP
Tel. + 55 11 3062-7358
www.panelinha.com.br
panelinha@panelinha.com.br

ADMINISTRAÇÃO REGIONAL DO SENAC NO ESTADO DE SÃO PAULO
PRESIDENTE DO CONSELHO REGIONAL
Abram Szajman
DIRETOR DO DEPARTAMENTO REGIONAL
Luiz Francisco de A. Salgado
SUPERINTENDENTE UNIVERSITÁRIO E DE DESENVOLVIMENTO
Luiz Carlos Dourado

EDITORA SENAC SÃO PAULO
CONSELHO EDITORIAL
Luiz Francisco de A. Salgado
Luiz Carlos Dourado
Darcio Sayad Maia
Lucila Mara Sbrana Sciotti
Luís Américo Tousi Botelho

GERENTE | PUBLISHER
Luís Américo Tousi Botelho
COORDENAÇÃO EDITORIAL
Ricardo Diana
PROSPECÇÃO
Dolores Crisci Manzano
ADMINISTRATIVO
Verônica Pirani de Oliveira
COMERCIAL
Aldair Novais Pereira
IMPRESSÃO E ACABAMENTO
Coan

Proibida a reprodução sem autorização expressa
Todos os direitos desta edição licenciados à
EDITORA SENAC SÃO PAULO
Av. Engenheiro Eusébio Stevaux, 823
Prédio Editora – Jurubatuba
CEP 04696-000 – São Paulo – SP
Tel. (11) 2187-4450
editora@sp.senac.br
https://www.editorasenacsp.com.br

DE CIMA PARA BAIXO
meu irmão caçula, Guilherme, e eu;
meu irmão mais velho, Fábio, no colo da minha mãe, Beth;
Fábio e eu

ACIMA *eu, bebezinha, com meu pai, Guilherme;*
ABAIXO *meus bebês, Dora e Gabriel*